天野祐吉

広告論講義

広告論講義

天野祐吉

岩波書店

目次

目　次

装丁＝桂川　潤

第一講　パリ万博——欲望のビッグバン

1900年パリ万博の正面入口となったビネ記念門

広告の世紀

世紀の変わり目に、いま、ぼくらは立っています。と言っても、二〇〇〇年の大晦日と二〇〇一年の元日とのあいだに、とくに高い壁や深い溝があるわけじゃない。昨日から今日へ、時間はいつもと同じようにだらだら流れているだけで、身も蓋もなく言ってしまえば、ぼくらはノッペラボーな時間と空間のなかに生きているんですね。でも、どうもそれでは、生きているという実感が持てない。で、山あり谷あり、人間はフィクションのデコボコをいろいろつくり出して生きてきたわけで、世紀の変わり目というのも、そんなデコボコの一つだと言っていいでしょう。とくに二〇世紀というのは、人類史上きわめて特異な世紀でしたから、それが終わるというのは、かなり大きなデコボコというか、区切りの意味を持つと言っていいように思います。

そんなときに、過ぎ去って行く二〇世紀の風景を、〝広告〟という窓から見ておこうというのが、この講義でやってみたいことの一つです。〝事件〟という窓でも〝映画〟という窓でもいいのに、なぜ〝広告〟という窓から見るのか。それは広告というのが、だれにとっても身近な窓であるということが一つと、よくも悪くも、広告というのが二〇世紀的なるものの一つだと思うからです。

二〇世紀というのは、「戦争の世紀」とか「科学技術の世紀」とか、いろいろな顔を持った世紀ですが、「広告の世紀」であったこともまちがいない。とくに、大量生産・大量消費・大量流通という巨大な歯車をまわしてきたのは広告であって、その働きなしにはいまのような大衆消費社会というのは成り立たなかっただろうと思います。見方によっては、広告は、二〇世紀というイメージそのものを、たえず切りひらいてきた、前へ前へ推し進めてきた、と言えなくもありません。というわけで、二〇世紀をのぞくのぞき窓としては、広告が格好の窓ではないかと思ったのです。

それと、この講義のねらいは、もう一つあります。それは、広告を通して二〇世紀の風景をざっと眺めたら、こんどはその風景から逆に、「広告とは何か」を考えてみようということです。ま、どちらかと言えば、こっちのほうが、つまり二〇世紀論であるよりは広告論であることが本筋なのですが、そのへんは、ここと思えばまたあちら、二つのあいだを行ったり来たりしながら、講義を進めていくつもりでいます。

そのための方法として、これから行う一〇回の講義を、一回に一点ずつ、計一〇点の広告を教材にしてやっていきたいと考えています。さっき、よくも悪くも広告は二〇世紀的なるものの一つだと言いましたが、この一〇〇年間に現れたおびただしい量の広告のなかでも、とくに二〇世紀的なものを反映していると思う広告を一〇点、強引に選んでみました。その一〇点の広告をじっくり見ていれば、なんとなく二〇世紀が見えてくるんじゃないか。と同時に、広告というものの正体も見えてくるんじゃないか、と思ったのです。当然のことながら、この一〇点の選び方に、首をかしげる人がいっぱい出てくると思います。が、そこはしばらくがまんしてください。で、講義をぜんぶ通して聞いたあとで、それぞれに、「私が選ぶ二〇世紀の広告トップテン」をリストアップしてみるのも、一興ではないかと思います。

〝事物教育〟の広場

というわけで、まず一番目にとりあげる広告は、一九〇〇年の「パリ万博」です。疑いもなく、二〇世紀はこのパリ万博で幕を開けた。それは、地球レベルではじまる〝欲望のビッグバン〟のファンファーレでもあったし、来るべき二〇世紀のイメージを広告する派手なビッグ・イベントだったと言ってもいいでしょう。ぼくらはいま、広告というと新聞広告やテレビのコマーシャルを思いますが、イベントも広告の一つであり、そのなかでも博覧会は、最も大がかりな広告イベントだと言っていいでしょう。

万博(万国博覧会)は、一九〇〇年のパリ万博のほぼ半世紀前、一八五一年にロンドンのクリスタル・パレス（水晶宮）で開かれたのがはじまりです。その後はパリに場所を移して、一八五五年、一八六七年、一八七八年、一八八九年と、パリでは一一年ごとに開かれてきました。それはもっぱら、産業革命以降の技術文明が生み出してきた工業製品群の巨大な展示場であり、新しい大量生産品の数々が、どんなに大衆の生活を便利にするか、快適にするか、それを観念的にではなく、あくまでも事物を通して教えていく〝事物教育〟の場であったと言っていいと思います。ちなみに、有名なパリのエッフェル塔は、一八八九年のパリ万博の巨大な広告塔としてつくられたものです。あの醜悪な（と当時は言われた）鉄骨の塔は、鉄の上につくられる新しい時代を、みごとにシンボライズしていました。

これは余談ですが、技術文明の成果は、人間がつくり出したものの高さで測ることができるんじゃないかと、ぼくは思っています。つまり、技術の成果というものは、知識の蓄積によって、上へ上へと積み上げられていく。で、一八八九年に、それは、エッフェル塔の高さ（三二〇メートル）にまで達した。そして、それから一〇〇年もたたないうちに、とうとうその高さは、月にまで到達する。そう、知識と技術の蓄積は、ついに月にかけるハシゴまでつくり出したというわけです。

二〇世紀の到来を記念して一九〇〇年の四月一〇日から一一月一二日まで開かれたパリ万博は、そんな技術文明の展示場だった万博の歴史に、一つの頂点をつくり出しました。参加国家は三七か国。広大な敷地に繰り広げられたこの万博には、世界中から四八〇〇万をこえる人が押し寄せました。一九七〇年の大阪万博の入場者は六〇〇〇万人ほどですから、飛行機など飛んでいなかった時代に四八〇〇万人もの人を集めたというのは、ちょっと考えられないくらいの引力があったと言っていいでしょう。

図1　エッフェル塔を描いた『1889年パリ万博画報』カバー画(1889年)

図2　パリ万博における電気宮(『1900年パリ万博画報』1900年)

この年の一〇月二一日、夏目漱石もイギリス留学に向かう途中にパリを訪れ、万博を見た印象をこう日本へ書き送っています。

「パリス」ニ来テ見レバ其繁華ナルコト是亦到底筆紙ノ及ブ所ニ無之就《なかんずく》中道路家屋等ノ宏大ナルコト馬車電気鉄道地下鉄道等ノ網ノ如クナル有様寔《まこと》ニ世界ノ大都ニ御座候（中略）今日ハ博覧会ヲ見物致候ガ大仕掛ニテ何ガ何ヤラ一向方角サヘ分リ兼候名高キ「エフエル」塔ノ上ニ登リテ四方ヲ見渡シ申候是ハ三百メートルノ高サニテ人間ヲ箱ニ入レテ綱条ニ(テ)ツルシ上ゲツルシ下ス仕掛ニ候博覧会ハ十日や十五日見テモ大勢ヲ知ルガ積《せき》ノ山カト存候只今午後十二時迄「パリス」ノグロン ヴルヴハート申ス繁華ナ処ヲ散歩シテ地下鉄道ニテ帰宅致候（後略）

漱石が目を丸くしたのも無理はありません。世界の各地からパリ万博を見にきた多くの学者やジャーナリストたちも、そこに〝二〇世紀〟のイメージを予告する何かがあることは感じても、それがいったいなんであるのか、それがこれからどうなっていくのか、そのへんはほとんどわからなかったようです。

とくに一九〇〇年のパリ万博は、最新の工業製品を展示し啓蒙することを主体にしてきたそれまでの万博にくらべると、かなり様子が違っています。その変化をひとことで言えば、消費の〝快楽性〟が強く前面に出てきたことでしょう。会場には、世界各地の特産品がひしめき合い、特設ステージでは各国の自慢の踊りや伝統芸能がにぎやかに披露されていました。日本から参加した川上貞奴が、そのドラマチックな踊りで大いに話題を呼んだのもこのときです。

そんななかでも、とくに人びとの人気を集めたのは、ルミエール兄弟のシネマトグラフ(映画)でした。動く写真の出現は、人間の感覚や意識を変え、世界像を変え、エンターテインメントのありようを大きく変えた、と言われています。

この万博でルミエールの映画(もちろんモノクロで無声)を見たロシアの作家ゴーリキイは、こんなふうに言っています。

シネマトグラフの印象は、あまりにも異常で複雑だ。それはまるで黄泉の国であった。すべては奇妙な沈黙のなかで進行する。馬車のわだちの響きも、足音も、会話も聞こえてこない。人のほほえみには音がない。(中略)私はいまのところ、ルミエール兄弟のこの発明を賞賛はしないが、その重要性は認識している。きっと人間の生活と精神に影響を及ぼすであろうことを。

当時の人びとは、スクリーンの右奥からやってきた列車が、左手前に去って行くのがどうしても理解できず、「あの機関車はどこへ消えてしまったのか」と大騒ぎになったそうです。人の顔や手

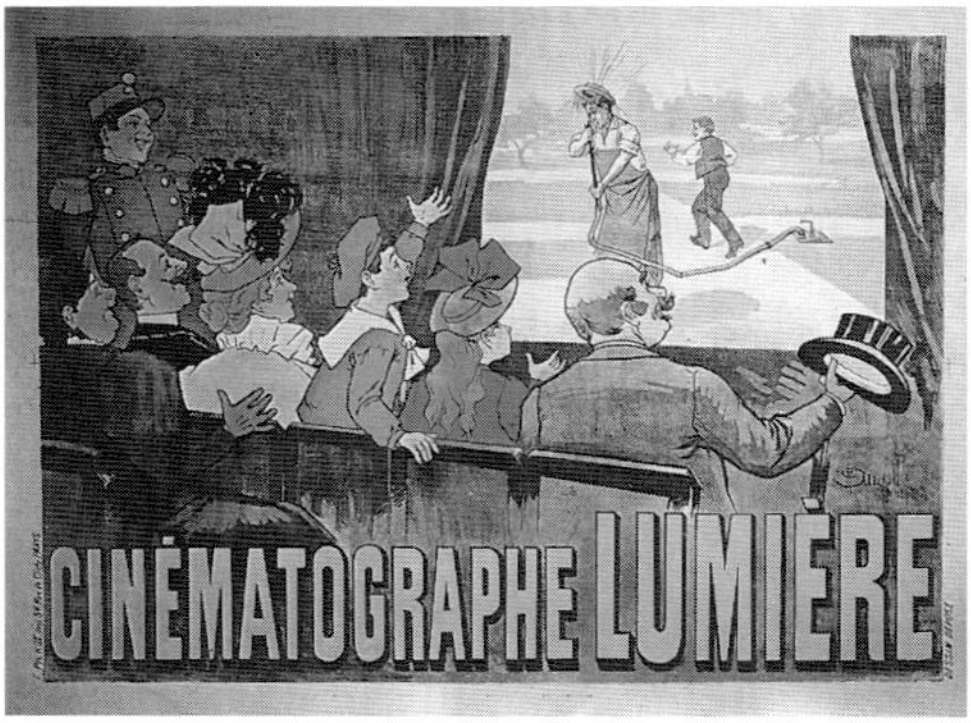

図3 1895年12月28日，パリのキャピュシーヌ大通り14番地のグランカフェで史上初めて一般公開されたリュミエール兄弟のシネマトグラフを記念してつくられたオゾール作のポスター

がアップで映ると、だれかがバラバラにされたんじゃないかとびっくりしたらしい。ちなみに、日本ではじめて映画(当時は活動写真と言った)が上映されたのは一八九七年(明治三〇)のことですが、そのときの広告を見ると、上映作品のタイトルが、「大洋万頃《ばんけい》の波濤突堤に激し汀沙を洗ふ去来の状人をして親しく身海岸にあるの思あらしむ」とか、「米国農家養鶏の図、数十の家禽と家鳩農夫

餌を投ずれば先を争ふて群り来る喙食の状真に実物と異ならず」といった調子で一六本並んでいる。なんのことはない、海岸に波が打ち寄せているだけだったり、アメリカの農夫が鶏に餌をやっているだけの数分の映画を一六本並べて映しただけなんでしょうが、それでも写真が動くというので連日人が押しかけ、あまりの盛況に小屋の二階が落ちて警察に興業を差しとめられたという逸話まで残っています。

パリ万博では、映画のほかにも、セーヌ河畔に並んだ各国のパビリオンに、「世界旅行パノラマ」とか「シベリア横断パノラマ」といった呼び物が並んで、人びとに〝未知の体験〟を提供していました。そうした体験のなかで人びとは、これからの自分たちの暮らしが、もっと刺激的で、もっと面白いものになりそうだという予感を、否応なく感じとったに違いない。こうして、一九〇〇年のパリ万博は、革命的な商品やエンターテインメントにかこまれた〝二〇世紀的生活〟の夢を、技術文明の成果が約束する〝豊かな生活〟のイメージを、全世界にいきいきと広告してみせたのです。

広告は何を売るのか

広告が売るのは、基本的にイメージです。特殊な例を除いて、商品やサービスを広告がじかに売ることはしない。パリ万博が〝二〇世紀的生活〟のイメージを売ったように、古今東西、広告が売ってきたのは、さまざまなしあわせのイメージだと言っていいでしょう。

広告の歴史に即して、考えてみましょうか。広告の歴史は、まず、宗教広告からはじまったとぼくは考えていますが、広告マンのご先祖さんである古代の呪術師は、目に見えない世界と目に見える世界の通路に自分がなることで、人びとに安心や希望や、ときに恐怖のイメージを売ってきた。簡単に言ってしまえば、「ちちんぷいぷい」の世界ですね。アリナミンVのCMコピーに、「ちちんブイブイ」というのがありましたが、薬の広告には、いまでも「ちちんぷいぷい」的なものがかなり含まれているんじゃないでしょうか。

仏教のお坊さんたちも、思想の深さは別として、売ってきたものは本質的に同じです。人びとに〝安心〟という名のしあわせのイメージを売ってきた。心が安らかに落ちついて不安や心配がない状態。極楽往生をひたすら願う「安心立命」の〝安心〟ですね。密教の声明なんかを聞くと、ぼくはグレゴリオ聖歌をすぐ連想してしまうのですが、どちらも神や仏といった目に見えないものを広告する〝CMソング〟になっている。お経も賛美歌も同じです。聞いているうちに、なんとなく〝安心〟が得られたような気分になってくる。で、そんな〝安心〟を手に入れるための代価として、人びとはお坊さんにお布施を払ってきたわけです。

宗教広告の次に広告の歴史に登場してくるのは政治広告ですが、政治家たちが昔から売ってきたのは、〝安全〟というしあわせのイメージでしょう。あなたたちの生命や財産の安全を守ってあげよう、そのためには私をリーダーに選びなさいと、政治家は人びとに自分を広告する。秦の始皇帝は広告の天才だったとぼくは思っていますが、彼が万里の長城をつくったのも、北方の異民族の攻撃に備えるためというより、その威容を誇示することで、敵には「攻めても無駄だぞ」というメッセージを、国民には「安全はまかせておけ」というメッセージを、同時に広告したかったのではないかとぼくは勝手に考えています。

そのころにくらべると、いまは〝安全〟の意味やあり方が、とてもむずかしくなりました。難民問題に関連して緒方貞子さんが、「〝国家の安全保障〟より〝人間の安全保障〟が優先する」という意味のことを言っていましたが、いまの社会では、国家間の紛争で人間の安全が平気で犯されている。これからの時代に、新しい〝安全〟のイメージを、どう説得的にえがいて見せることができるか。その能力が、いまの政治家に最も問われているところでしょう。なんと言っても、ぼくらはその〝安全〟のイメージを買うために、税金という高い代価を払っているのですから。

宗教、政治、とつづいて、次には商業広告が歴史の上に登場してきます。宗教広告が〝安心〟を、政治広告が〝安全〟のイメージを売ってきたのに対して、商業広告は何を売ってきたかと言えば、それは〝安楽〟のイメージです。商品の品質や機能よりも、商業広告が売っているのは、その商品やサービスがもたらしてくれる〝安楽〟のイメージだと言っていい。商品の代価は、商品という物の代価であると同時に、安楽イメージの代価でもあります。

たとえば、金魚売りの売り声。あの「きんぎょ〜、え〜、きんぎょ〜」という売り声を、ぼくは史上最高のCMソングだと思っていますが、あの売り声が売っているのは、金魚そのものじゃない。縁側の金魚鉢のなかを金魚がゆらゆら泳いでいる〝涼しげなイメージ〟を売っているのです。空気とか気分とかを売っていると言ってもいいでしょう。文字にしてしまえば、「金魚、金魚」と商品名を並べているだけなのに、その節まわしが、音のひびきが、商品のある安楽な暮らしのイメージを表現しているのです。金魚なんていう煮ても焼いても食えない魚にお金を払うのは、そのイメージに対してなんですね。

パリ万博の場合も、スケールこそ違え、本質は同じです。万博は根っこは政治広告ですが、現象的には商業広告です。つまり、そこでは二〇世紀的な安楽な暮らしのイメージを売っている。ただ、会場にあふれる商品やサービスの個々の広告ではありません。それらのすべてを、〝安楽〟というブランド・イメージでひとくくりにした、壮大な連合広告だったと言っていいでしょう。

そんな壮大な連合広告が、二〇世紀的生活の縮寸モデルとなって、地球上に欲望のビッグバンを引き起こす。このあとに現れる二〇世紀の広告のほとんどは、この連合広告が描いた壮大なイメージ・スケッチを、ときに美しく、ときにいかがわしく、さまざまに色づけしていく作業だったと、ぼくは思っています。

ぜいたくの民主化

欲望のビッグバンを引き起こした主役は万博ですが、その万博には百貨店という名コンビがいました。産業革命の進展とともに、大量生産・大量消費のサイクルを動かす大衆消費市場は、一九世紀の後半にはフランスやイギリスに成立しはじめていましたが、その動きを加速させた存在が、万博であり、百貨店でした。そういう意味でこの二つは、きわめて二〇世紀的なものだと言っていいでしょう。

百貨店は、一九世紀の半ばごろから、万博と歩調を合わせるように登場してきます。その第一号は、一八五二年にパリに誕生した「ボン・マルシェ」でした。その後、パリの「プランタン」、ロンドンの「ハロッズ」、ニューヨークの「メーシー」など、一八五〇年代から七〇年代にかけて、世界の各地に次々と百貨店が生まれて行く。

そうした百貨店は、ミニサイズの万博というか、まさに万博の縮寸版でした。人びとの夢をかきたてる新しい商品や珍しい商品が、そこには、まぶしい光を放って並んでいる。それも、ちょっと背伸びをすれば手が届くくらいの値段の正札をつけて並んでいる。店内に入ったからと言って、何も買わなくても文句を言われることはありません。エレベーターという驚異の乗り物に乗り、最新の照明設備でいろどられた店内を、自由気ままに歩きまわることができる。新しさにあふれたそんな百貨店は、まさに〝ぜいたくの民主化〟を推し進める強力なリーダーの役割りを果たしました。

日本の百貨店第一号は、ちょっと遅れて一九〇四年(明治三七)、日本橋に生れた「三越呉服店」です。江戸の呉服商、越後屋三井高利が、「現金安売り掛け値なし」という画期的な商法をはじめたのは一六八三年で、この面ではヨーロッパよりかなり先んじていたのですが、この越後屋の三井が、のちに三井の〝三〟と越後屋の〝越〟をくっつけて「三越」となる。で、一九〇四年に「デパートメントストア宣言」を出して、日本の百貨店第一号の名乗りをあげました。

その広告がまた派手でした。当代の美人を次々に起用したポスターをつくって、人びとの夢をかき立てる。一九一四年には鉄筋五階建の新館を完成し、正面入口の両側にライオン像を据えて話題をまく。「今日は帝劇、明日は三越」と、帝国劇場の名を借りてイメージアップをはかる広告で評判をとる。そんな巧みな広告作戦の力もあって、三越はまたたくまに、日本を代表する百貨店になっていきます。

みつこしごふくてん　は　デパートメント、ストーアですから　あらゆる　しなものを　あきないして　おります　おこどもしゅう　の　しなから　おとしより　のしなまで　どんな　お

かた　にでも　ひつような　しなものが　たくさん　ならべてあります

新館落成の二年後、一九一六年の「少女の友」に三越のこんな広告がのっています。当時の子ど

図 4　パリ最大のデパートの一つ，クレスパン&デュファエル(1856 年創業)の店内．H. ラース画による色刷り石版画(1880-85 年ごろ)

もたちにとって、百貨店は〝夢の御殿〟でした。百貨店へ行くことは、いまで言えば東京ディズニーランドに出かけるくらい、わくわくする出来事であり、ぜいたくなレジャーだったのです。

〝夢の御殿〟の終焉

そんな三越の〝顔〟をつくったのは、日本の近代グラフィックデザインの父といわれる杉浦非水(一八七六―一九六五年)です。彼は三越がデパートメントストア宣言を出した四年後の一九〇八年に三越に迎えられ、以後、一九三四年に退職するまで、アール・ヌーボーからアール・デコに至るヨーロッパの図案手法を駆使して、「三越の非水か、非水の三越か」と言われるまでに、三越の広告づくりに腕をふるいました。とくに、それまでの伝統的な美人画ポスターを排し、創作ポスターの道を切り開いたのが、彼の功績でしょう。三越の休憩室でくつろぐ女性を描いた「新柄陳列会」のポスター(一九一四年)とか、地下鉄のフォームに立つ人びとの姿を描いた地下鉄開通のポスター(一九二七年)などを見ると、百貨店文化に浮き立つ当時の人びとの気分が、みごとに、そして品よく表現されています。

百貨店はその後も、めざましい成長をとげていきました。とくに戦後は、大量消費時代のイメージリーダーとして、おしゃれなショッピングの拠点として、百貨店は大きな役割を果たすことになります。

図 5　杉浦非水「三越呉服店絵びら」(1914 年)

▼「赤ちゃんは汗っかき」(伊勢丹：ベビー用品、一九六一年)
▼「白地だけでも織り柄が五〇種類あります」(松屋：ワイシャツ、一九六一年)
▼「パリからトーキョーへ、カルダンがやって来た」(高島屋・松坂屋、一九六一年)
▼「すてきな色柄をコンビナートで楽しむ」(三越：イタリアンルック、一九六一年)
▼「ことしはスリムが合言葉です」(松屋：紳士服、一九六二年)
▼「サンタになるパパにプレゼントのヒントをお教えします」(大丸、一九六三年)
▼「ダブダブよそう、ツンツルテンよそう」(伊勢丹、一九六四年)
▼「初出勤の日、好印象を与える服」(高島屋：レディスフロア、一九六四年)
▼「現代人の八〇%が運動不足です」(伊勢丹：運動用品、一九六五年)
▼「ワーゲンのあるバーゲン」(銀座松屋、一九六五年)
▼「縞は三歳トクをする」(伊勢丹：ワイシャツ、一九六五年)
▼「そよ風が吹くころ、タイトなものは重く見えます」(伊勢丹、一九六七年)

一九六〇年代の広告からホンの一部を拾ってみただけでも、百貨店の元気ぶりが手にとるようにわかります。当時の百貨店はまさに、人びとに暮らしのスタイルを提案し、ファッショナブルな生活のヒントを提供してくれる情報センターでもあったのです。

が、二〇世紀も終わりに近づくと、その百貨店も〝夢の御殿〟としてのパワーを急速に失っていく。それは、万博や百貨店のえがいてきたような豊かさの夢が、一九七〇年代以降はもう夢ではなく、現実のものになってしまったからでしょう。一九八四年に、西武百貨店は「ほしいものがほしい」という広告を出しましたが、まさにそのころから、人びとはほしいものがなくなってしまったんですね。あるいは、何がほしいのか、わからなくなってきた。

とくに、一九九〇年代の半ばころからは、百貨店の売り上げは低迷をつづけていくことになります。そして、海外の一流ブランドを店内に導入して、その魅力で〝夢の御殿〟としての再生をはかるようになっていく。それは〝百貨店〟というより、〝十貨店〟とか〝五貨店〟いったほうがいいようなフルモデルチェンジです。二〇世紀のはじめから万博や百貨店が売ってきたイメージの品質保証期間は、ちょうど一〇〇年だったということになるんでしょうか。二〇世紀的な存在としての万博や百貨店の役割は、二〇世紀とともに終わったと言っていいのでしょう。

第二講　南極探検隊員募集——未知への誘惑

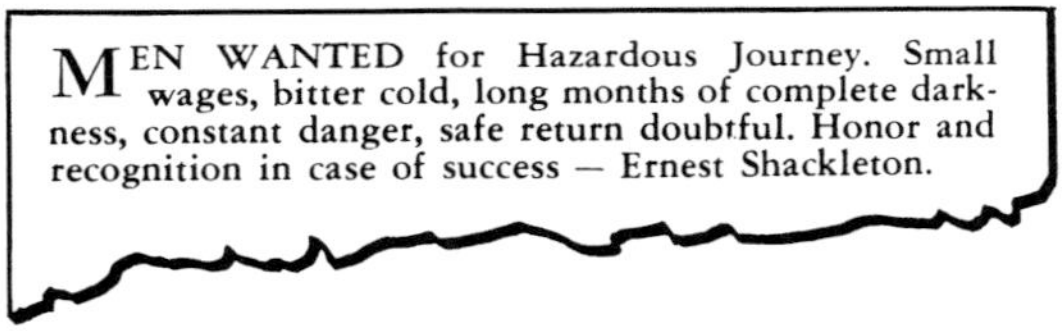

MEN WANTED for Hazardous Journey. Small wages, bitter cold, long months of complete darkness, constant danger, safe return doubtful. Honor and recognition in case of success — Ernest Shackleton.

シャクルトンによる南極探検隊員募集広告(1900 年)

未知への扉

パリが万博の熱気におおわれていた一九〇〇年のある日、ロンドンの新聞の片隅に、こんな求人広告がのったそうです。

求む男子。至難の旅。僅かな報酬。厳寒。暗黒の長い日々。絶えざる危険。生還の保証なし。成功の暁には名誉と賞賛を得る——アーネスト・シャクルトン

これを書いたシャクルトンという人は、南極探検で有名なイギリスの冒険家で、この広告を書いた一九〇〇年には、まだ二〇代半ばの青年です。

この広告をぼくが知ったのは、ずいぶん前、ワトキンスという人の書いた『一〇〇の偉大な広告』(ドーバー出版、一九四九年)という本でした。この本は、アメリカの近代広告史のなかからすぐれた一〇〇点の広告を選び、その背景やら裏話やらを手短に書いた面白い本ですが、ワトキンスはその〝一〇〇の偉大な広告〟のトップに、この小さな求人広告をあげている。そして、のちにシャ

クルトンが言ったというこんな言葉を紹介しています。

「まるでイギリス中の男たちが私の探検に参加することを決意したんじゃないかと思うくらい、あの広告の反響は圧倒的だった」

シャクルトンが言ったというこの言葉には、かなり広告的な誇張があるような気がしますが、確かにここには、〝未知の世界〟への誘惑がある。引力がある。この広告で売られているのは、現象的には南極探検隊員のポストですが、実際にはぞくぞくするような未知の体験イメージだと言っていいでしょう。なぜって、本気で南極探検に参加するには、かなり頑健な人でなければとても無理です。たくさんの応募者のなかには、もちろんそういう人もいたでしょうが、大半はそうではない。実際には無理でも、せめて〝夢〟に参加したい、〝夢〟を買いたいという人が多かったんじゃないでしょうか。

そう考えると、この小さな広告は、〝海外旅行時代〟という大きな時代への扉をひらくものだったと言えなくもない。この広告の向こうに見えるのはもちろん南極ですが、そのさらに向こうには、南極もその一部であるグローバルな世界がひろがっていて、それが人びとに「おいでおいで」と手招きをしていたと言ってもいいでしょう。当時の南極は、〝地球上に残された最後の偉大な秘境〟と言われていたそうで、それだけに南極は、〝未知の世界〟の最強の広告シンボルになり得たのだと思います。

大移動の世紀

未知の世界を見物しようと、たくさんの人たちがぞろぞろ地球の上を歩き回る。二〇世紀は、そんな〝人類大移動の世紀〟という一面を持っています。南極探検にはとても行けないような人たちも、安全にパッケージされた観光ツアーなら参加できる。それも団体旅行なら、費用も安上がりだ。というわけで、一九世紀の半ばごろから、団体観光旅行という新しい旅のカタチが登場するようになりました。それはまさに、大量生産時代にぴったり対応する〝旅の大量生産方式〟です。

その〝発明者〟は、イギリスのトマス・クック(一八〇八―九二年)という人です。この人についてはいろいろ本が書かれていますが、A・シーグフリードの『現代――二〇世紀文明の方向』(杉捷夫訳、紀伊國屋書店)によると、彼はある日とつぜん、団体観光旅行のアイデアを思いついたわけではありません。もともとこの人は、黒檀の細工師をしていた人なんですが、禁酒運動や禁煙運動にとても熱心な人でもあった。で、一八四一年に、禁酒運動を広める宣伝活動の一つとして、禁酒家の団体汽車旅行を企画したんですね。これが大成功をおさめ、このテの企画をいろいろ手がけるようになって、彼は団体旅行をプロデュースするノウハウを手に入れた。そして、一八五五年にはロンドン万博のための見物客を各国から集めることに成功し、一八六七年のパリ万博には二万人の見物客を扱うまでに組織を拡大したのです。さらに、一八六八年以降は、エジプトやパレスチナやインドなど、世界各地への団体旅行を実施した。また一八七一年には、休戦とコンミューン内乱が終わったばかりでまだ火事の煙が立ちのぼっているパリへ、試練のあとの首都を見物したいという物好きなイギリスの旅行者たちを大量に送りこんだりもしました。

そして一八七二年、ついに彼は、所要日数二二二日、総行程約四万キロという世界一周団体観光ツアーを実現する。各国の時差を考慮した交通手段の手配から、ホテルの予約、通貨を両替するための為替業務など、彼はすべてを独力でやってのけました。フランスの作家ジュール・ヴェルヌの『八十日間世界一周』は、この企画に便乗して書かれた架空の世界一周レポートですが、クックが行なったこの世界一周団体観光旅行は、当時、世界中で大きな話題を巻き起こしています。

事実、人間の歴史の上で、これは革命的な出来事だと言っていいでしょう。交通手段が飛躍的に発達したということもありますが、王侯貴族ではないふつうの人たちが、自分の国の外へどんどん観光旅行に出かけるようになった。「画一的な遊覧旅行は、速度とデモクラシーの息子であり、それは産業の進化のなかにぴったり組み込まれているものである」と、シーグフリードはさっきの本のなかで言っていますが、手工業時代から機械時代へという時代の流れに、それはまさにぴったり対応しています。旅のカタチが、貴族のオーダーメード的な旅行から、一般大衆のレディメード型の旅行へ、完全にとってかわったのですから。

それまでは、ふつうの人たちが団体で旅行したりするのは、聖地巡礼のようなとき以外には、まず見られない光景でした。日本で言うと、お伊勢参りや四国八十八か所めぐりなどが、その典型的な例です。ついでだから言っておくと、この四国八十八か所めぐりというのは、日本の本格的なパ

図6　トマス・クック社が刊行していた旅行者向け案内報の表紙(1902年5月3日号)

ッケージツアーの元祖ではないかと、ぼくは考えています。だいたい、空海さんの宗派には、すぐれたアイデアマンが多いのですが、あの遍路ツアーのシステムは、本当によくできている。

たとえば、コースの設定。まず、お遍路さんは一番札所のある阿波(徳島)から出発して、時計の針まわりに、土佐(高知)→伊予(愛媛)→讃岐(香川)とまわっていくのですが、全行程一四〇〇キロに及ぶそのコースが平板にならないよう、阿波＝足ならしの道、土佐＝海の道、伊予＝山の道、讃岐＝里の道、といったぐあいに、コースを変化に富ませている。

あるいは、あの衣装や小道具ですね。あの姿を見れば、だれだって物見遊山の旅とは思いません。信心の旅だと思う。だから、泥棒や追いはぎも襲うのを遠慮します。そういう安全装備であると同時に、あれはまた死装束でもあって、旅の途中で死んでも、道端にそのまま埋めてもらえばいいから、まわりにあまり迷惑をかけないですむ。で、埋めたところにあの杖を立てておいてもらえば、それが卒塔婆かわりにもなるというわけです。

それと、コースの随所にある遍路宿とお接待さん。これはボランティアの先駆けみたいなものですが、あまりお金のない人でも、ボランティアの後押しで旅をつづけることができるようになっている。そんなうまい仕掛けが、このほかにもいろいろと、このツアーには組み込まれているのです。まさに、トマス・クックも顔負けのツアー・システムだと言っていいんじゃないでしょうか。

話を二〇世紀に戻すと、そのトマス・クックが開いた扉から、世界中の人びとが〝地球の巡礼者〟になって出かけていくことになる。そして、約一〇〇年後の一九九七年には、その巡礼者の数は、年間で軽く六億人をこえる(WTO資料)という、すごい数字にまでなったのです。

トマス・クックが売ったそんな夢を、前の回の講義でもちょっと触れたように、万博がさらに押

図7　1900年パリ万博のアトラクション建築「世界の塔」．日本からは五重塔，中国からは宮殿など，各地の特徴的な建築をつなぎあわせ同心円状に配置し，内部はパノラマとしても楽しめた

図8　『1900年パリ万博画報』に掲載された「日本館」の紹介記事

し広げる役割を果たしました。とくに一九〇〇年のパリ万博は、〃いながらにして楽しめる世界旅行〃の観があったと言われています。各国のパビリオン自体が、熱心な観光案内所の役割を果たしましたし、船で世界の名所をあれこれ見てまわるという趣向の『世界旅行パノラマ』など、未知の世界への夢をそそるような企画や施設が、会場にめじろおしに並んでいたのです。

万博会場のあちこちで公開された世界各地の芸術や伝統芸能が、未知への夢をさらにかきたてる役割りを果たしたことは言うまでもありません。そんななかで、日本から出向いた川上貞奴も、そのエキゾチックな踊りによって、東洋の神秘の国・ニッポンを世界の人たちに広告し、おおきな喝采を博していたのです。

コピーの魔術

トマス・クックの世界一周旅行や、パリ万博のポスターの俗悪なまでの派手さにくらべると、南極探検隊員を募集したシャクルトンの求人広告は、スペースも小さいし、コピーの語り口も静かで、シンプルです。が、それでいて、〃未知の世界〃へ人びとを引き寄せる引力では、トマス・クックのポスターにいささかもひけをとっていない。むしろ、強い。

その秘密は、ひたすら、コピーの魔術にあると言っていいでしょう。名詞どめの、まるで電文のように、ポキポキした文体。情緒的なニュアンスをまったく切り捨てた、とことん即物的な表現。が、そんな即物的な表現が、逆に、南極探検をいままさに体験しているような、ぞくぞくした気持ちを、受け手の内部から引き出すことに成功しています。情緒は押しつけるものではない、受け手のなかから誘い出すものだという表現の鉄則を、このコピーはちゃんとふまえている。こういうコピーを読んだら、だれだって、行間からマイナス数十度の風が吹き込んでくるような、そんな気分にさせられてしまうんじゃないでしょうか。

話は変わりますが、一九五八年、アメリカの代表的なコピーライターの一人であるデビッド・オグルビーという人が、ロールスロイスのこんな広告を書きました。

時速六〇マイルで走るとき、このロールスロイスから聞こえるいちばん大きな音は、クルマのなかの電気時計の音です。

まるで、商品テストの結果を知らせるようなそっけないコピーですが、走行中のクルマの内部の静けさが、ひたひたと伝わってくる。それまでのロールスロイスの広告は、お抱え運転手がクルマのドアをうやうやしく開けているふうのお高くとまったものが多かったのですが、オグルビーは、

図 9　デビッド・オグルビーによるロールスロイスの広告(1958 年)

あくまでクルマの性能に徹したコピーを書くことで、ロールスロイスの新しいイメージをつくり出そうとしたのです。一九六〇年代の日本のクルマの広告に「走る豪華な応接間」なんていうのがありましたが、へんに情緒的なコピーよりも即物的な表現がいかに強いか、それを実証する格好の例と言えるのではないでしょうか。

「歌うな、語れ」

日本の新劇の父と言われた小山内薫が、シェイクスピアやイプセンをやるときにも、とかく歌舞伎調に歌い上げてしまう明治の役者たちに言いつづけたというこの言葉は、広告のコピーを書くときにも、そのまま当てはまる鉄則なんですね。

ちなみに、このロールスロイスのコピーを書いたオグルビーは、のちにこんな裏話を語っています。

「あの広告を、私がロールスロイスのニューヨーク支社長にプレゼンテーションしたとき、技術者あがりの支社長はしばらくコピーをにらんでいたが、やがてこう言ったもんだよ。うーむ、あの電気時計の音はなんとかしなければならんな、とね」

なんだか、広告以上にうまくできすぎている話ですが、このエピソードは、ロールスロイスの技術者魂を伝える〝神話〟として、その後、広く知れわたっていきました。こういう〝評判づくり〟というか〝神話づくり〟も、広告の重要な仕事の一つですが、ロールスロイスという会社は、そんな神話づくりがたいへんうまい会社でもあったようです。たとえば、こんな例もあります。

「アフリカの砂漠のまんなかで、ロールスロイスが故障した。で、ドライバーが自動車電話でロールスロイスに連絡をとったら、三〇分もたたないうちに、ヘリコプターで修理マンが飛んできて、手際よく故障を直してくれた。よろこんだドライバーが、ロールスロイスのサービスのすばらしさをみんなに話しておくよと修理マンに言ったら、〝どうぞご内密に。ロールスロイスが故障したなんて話はしないでください〟と言って、修理マンは再びヘリコプターで去って行った」

広告の神話づくり

オグルビーが書いたロールスロイスの広告も、シャクルトンの書いた南極探検隊員募集の広告も、たいへん評判になりました。その証拠に、どちらも広告界の〝神話〟として、いまに語り継がれている。とくにシャクルトンの広告は、広告のお手本として、いまもあちこちで引用されています。

ところが、実はシャクルトンは、こんな広告を書いたことはないらしい。マーゴ・モレルとステファニー・キャパレルの『史上最強のリーダー シャクルトン』(高遠裕子訳、PHP研究所)によると、シャクルトンが最初に南極探検に行ったのは一九〇二年のことで、しかもそのときは、有名な探検家スコットが率いる隊の隊員の一人として参加していますから、彼が広告を出すはずがないんですね。次に彼が南極探検に向かったのは六年後の一九〇八年で、このときは彼が隊長ではあったけれど、当時の新聞を探しても、あの広告は見つからないらしい。

ちなみに彼は、一回目は南極点まで約七四〇キロ、二回目は約一五六キロの地点まで迫りましたが、いずれも天候に邪魔されて断念しています。で、一九一四年、四〇歳のときに三回目の探検に出発するのですが、このときは南極大陸に接岸する前に船を失い、二年近くに及ぶ悪戦苦闘の末に、全隊員を無事にイギリスに連れ帰るという離れ業をやってのけました。結局、彼は生涯、南極大陸を征服することはできなかったのですが、三回目の探検のときの英雄的行動が大いに称賛され、偉大なリーダーとして名を残すことになったのです。

で、さっきの本によると、この三回目のときの探検計画が、一九一三年一二月二九日のタイムズ紙に発表されると、たちまち志願者が殺到し、五〇〇〇人近くにまでなったということです。二回目のときは四〇〇人だったそうですから、「まるでイギリス中の男たちが私の探検に参加することを決意したんじゃないかと思うくらい、あの広告の反響は圧倒的だった」というシャクルトンの回想談が本物なら、この三回目のときのことに違いない。が、それにしては、年が一三年もずれているし、そのときの新聞にも、そんな広告はのっていないというんですね。というわけで、「こんな困難な仕事に志願者が殺到したのを面白がって、だれかがこの広告文を思いついたというのが真相ではないだろうか」と、この本の著者は書いています。
そうかも知れない。が、だとしたら、それはそれで、すごく面白いことだと、ぼくは思います。実際にはありもしなかった広告が、シャクルトンの人柄をしのばせるような文章で書かれ、歴史上の名コピーとして〝神話〟になる。それこそ、まさに広告的な話の見本と言っていいんじゃないでしょうか。しかもそのコピーは、実際にシャクルトンが書いたであろう以上に、もしかしたら、シャクルトン的である。それこそ、広告の神髄でなくてなんでしょう。
ついでだから、もう一つサービスに、似たような広告神話を紹介しておきましょう。現存する世界最古の広告物は、古代テーベの遺跡から発掘されたパピルス文書のなかにある〝ウオンテッド広告〟だと言われています。

奴隷シェム。彼のよき主人たる織匠ハブのもとより逃亡。テーベの善良なる市民は彼を引き戻すことに協力されたい。彼はヒッタイト人で身長五フィート二インチ、赤ら顔で目はブラウン。彼の居所を知らせた人には金環の半分を呈し、諸君の注文に応じて最上の布を織る織匠ハブのもとに彼を連れ戻した人には金環一個を呈す。

面白いでしょう。この広告を出したのは織匠のハブさんですが、なんとこのハブさんは、広告のなかで「彼のよき主人たる織匠ハブ」とか、「諸君の注文に応じて最上の布を織る織匠ハブ」とか、自分のことを一生けんめい広告してしまっている。この広告の目的は、逃げた奴隷をつかまえることであって、店の客をつかまえることではないのに、そんなときにも思わず自分自身のことを広告してしまうところが、人間という生き物のとても面白いところだと思うのです。

が、ここで言いたかったのは、そのことではありません。広告の世界ではこれが「現存する世界最古の広告物」ということになっているのですが、どんな本を見ても、大英博物館あたりの古代史料を漁っても、現物が見当たらない。それらしいものすら、ないんですね。ということは、もしかしたら、この話そのものが嘘八百なんじゃないか。シャクルトンの広告と同じように、そう思えてくるところが、いかにも広告の世界の話らしくて面白いじゃありませんか。

第三講　エンゼルと福助——消費者の登場

福助とエンゼルマーク

商標の登場

一九世紀から二〇世紀のはじめにかけて、商標(トレードマーク)がどっと世の中に出てきます。日本では、花王石鹸の三日月マーク、福助足袋の福助マーク、森永製菓のエンゼルマーク、仁丹の将軍マークといったおなじみのマークが現れました。これはみな、一九〇〇年から一九〇五年のあいだに現れたおなじみの商標ですが、さらに一九二〇年代になると、グリコのランナーのマークとか、カルピスの黒人のマークとか、資生堂の花椿のマークなどが続々と生まれてくる。ちなみに、アメリカのビクターが、蓄音機のラッパから出てくる主人の声にじっと耳を傾けている犬のマーク、ニッパー君というんですが、あのマークを使い出したのも、一九〇一年からのことです。

このなかで、福助だけは起源がかなり古くて、福助の絵や福助人形そのものは、商売繁盛のお守り的キャラクターとして、江戸時代のなかごろからあったようです。そのへんの話は、荒俣宏さんの『福助さん』(筑摩書房)にくわしく、そして面白く書かれていますが、その本によれば、これが福助足袋の商標になったのは一九〇〇年のことで、それにはこんないきさつがあったそうです。

——堺の足袋商人「丸福辻本商店」の二代目店主・辻本豊三郎という人が、元日の伊勢詣での帰り道に、古道具屋の奥のほうに置かれていた大きな福助人形を見つけ、「これこそ探し求めていた商標だ」と、人形を家に買って帰る。で、父親の創業者・辻本福松にこれを見せたところ、福松も大いによろこび、すぐに得意の絵筆をとって、福助像を描いた。これが福助足袋の商標となり、のちに商店名も「福助株式会社」に改めた、というわけです。

戦前、ぼくが子どものころには、足袋といえば福助だと思いこんでいましたから、それくらい、この商標が果たした広告効果は大きいものがあります。

同じように、そのころは、石鹼といえば花王石鹼というくらい、あの三日月型のマークの効力も日本中に行きわたっていました。なにしろ、♪うぶ湯のときから〜み〜んな花王〜花王石鹼……なんて歌で育った世代ですから、仕方ありません。

ただし、あの三日月マークは、ぼくの子どものころには、下弦の月(右向き)でした。それが、一九四三年(昭和一八)から上弦の月(左向き)に変わった。欠けていく月よりは満ちていく月のほうが縁起がいいと思ったのでしょう。それともう一つ、昔は月の顔が男でしたね。もっとはじめのころは、その男の口からもくもくと煙が出ていて、そのなかに文字が入っていました。それが戦後は、かわいい女の子みたいな顔になる。敗戦で日本が大きな方向転換をしたのに合わせて月も男から女へ変わったのか、そのへんはわかりません。

ついでだからもう一つ言っておくと、どうして月に顔を描いたのかというと、この石鹼は顔を洗

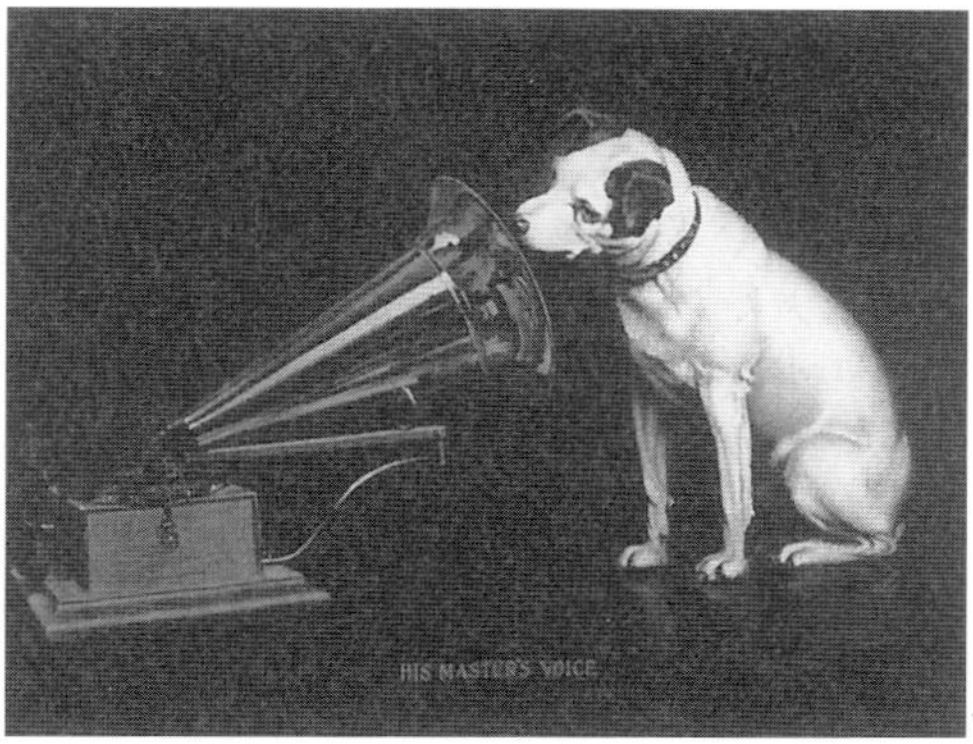

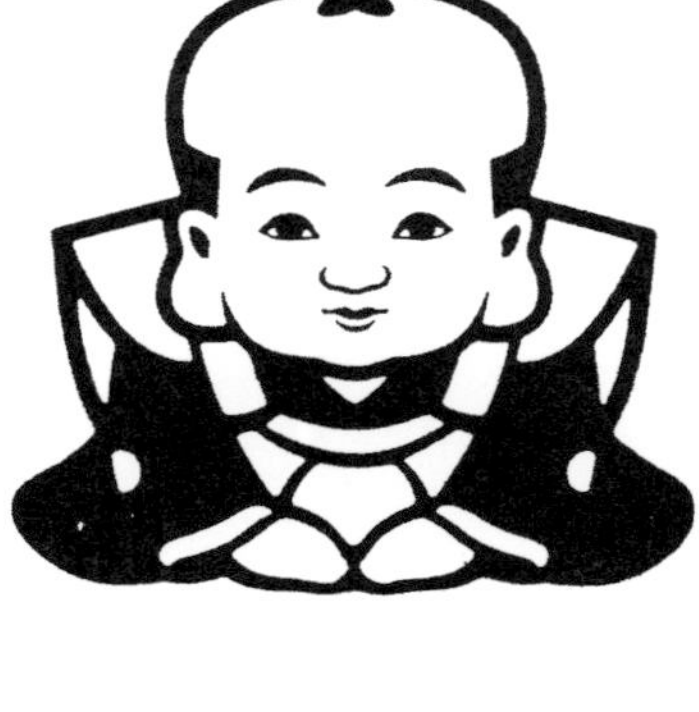

図 10　主人の声に耳をかたむけるニッパー．フランシス・バラウドの原画（1889 年）

図 11　上から，1904 年（明治 37）ごろの福助と，現在の福助

える石鹼である、つまり〝顔石鹼〟であるというところからきているらしい。それまでの国産の石鹼は粗悪品と相場がきまっていて、顔が洗えるような高級な石鹼は外国からの輸入品に限られていたんだそうです。ちなみに、「花王」というネーミングも、「顔」が「香王」になり、さらに「花王」になるという変遷をたどっている。それと、なぜ「月」だったのかについては、むかしから月は美と清浄のシンボルだったということと、創業者の長瀬富郎がひそかに心ひかれていたマークが、当時自分が輸入していた鉛筆の商標、「三日月と星」のマークだったということのようです。

顧客から消費者へ

商標の登場は、消費者の登場を意味しています。二〇世紀以前、厳密に言うと一九世紀の半ば以前には、消費者なんてものはいませんでした。第一、そんな言葉がありませんでした。いたのは、顧客です。商売は、商人と顧客のあいだで成立していました。日本の江戸時代で言えば、たとえば呉服屋さんには、その呉服屋さんをいつもひいきにしている顧客がいた。富山の薬売りも、薬箱を置いてくれている顧客がちゃんといたわけで、そういうお客さんたちを〝消費者〟なんて考える人はいなかったと言っていいでしょう。ちなみに、富山の薬売りは、薬を売るというより、世の中のニュースを売って歩いたんですね。ワイドショー的なうわさ話やニュースを持っていくと、たいていの人は話聞きたさに家の中に入れてくれる。で、ニュースを話して、その見返りに薬箱を置いてもらう。そういううまいやり方をしていたんです。

ところで、当時の商法は、(1)見世物商い(ご用聞きで注文をとり、あとで配達する)、(2)屋敷売

図 12　花王の商標の変化．上から，1897 年(明治 30)，1925 年 (大正 14)，1943 年 (昭和 18)，1948 年(昭和 23)，1953 年(昭和 28)

り(商品を持って行って預けて帰る)、(3)掛売り(通い帳式で支払いは年に一、二回行なう)というのが、ふつうのやり方だったのです。値段は商人と顧客のかけひきで決まるので、もちろん商品に正札なんてものはついていないし、お客はいちどお店に入ったら、何も買わずに帰るなんてことはなかったようです。

もっとも、こういう世界にも異端児はいました。一六八三年、いまから三百数十年前に、「現金安売り掛値なし」という日本のキャッチフレーズ第一号を書いて、世界ではじめて正札販売をやってのけた江戸の呉服商、越後屋三井高利です。

当然ながらこの商法は、同業者からすごい反発を受けました。が、頑固に彼はこの商法を貫いていく。と同時に、それまでは一反単位でしか売らなかった布を切り売りで売ったり、商品ごとに専門の店員を一人ずつおいてお客の相談にきめ細かく対応できるようにしたり、斬新な商法をいろいろ実践して、世間に話題をまいています。

ちなみに、「現金安売り掛値なし」のキャッチフレーズをかかげ、「一銭にても空値申し上げず候間、お値切り遊ばされ候ても負けは御座なく候……」と新商法を宣言した引札(チラシ)を、彼は五万枚くらい刷って江戸市中に配っている。チラシもこれが日本のチラシ第一号なら、五万枚という数も、八〇万という当時の江戸の人口を考えると、たいへんな数だと言っていいでしょう。

もっとも、越後屋三井高利のこの商法はあまりに早すぎて、日本でそれが一般化するには、彼の子孫が三越百貨店を開く二〇世紀初頭まで待たなければなりませんでした。つまり、江戸時代の大半の商売は、商人と顧客という固定的な関係のなかで営まれつづけてきたのです。

そんな固定的な図式が、一九世紀の終わりとともに崩れ去る。大量生産・大量消費社会の出現とともに、これまでの〝商人―顧客〟の関係が〝生産者―消費者〟の関係に、大きく変わっていきました。

商品の作り手や売り手にとって、それまでの顧客は、顔の見える存在でした。つまり、専門用語で言うと〝顕在顧客〟でした。が、新しく生まれた消費者は、いったいどこにいて何をしている人なのか、まるで顔の見えない人たちです。あえて顧客という言葉を使えば、〝潜在顧客〟ということになります。

それまでの〝商人―顧客〟の世界では、市場のサイズはほぼ一定していますから、生産量が伸びることはあまりない。一種の受注生産みたいなもので、それに合わせて商品をつくっていればよかったわけです。が、大量生産の商品は違う。まるで水道の水のように、いちど栓をひねったら、とめどなく流れ出てくる。となると、その市場を、言いかえれば見えない消費者を、どんどん掘り起こしていかなければならなくなる。特定少数の顧客を相手にした商売から、不特定多数の消費者を相手にした商法に切りかえなければなりません。

商標は、そんな不特定多数の人たちに呼びかけて商品を買ってもらうときの、いわば〝保証マーク〟の役割をになっていました。じかに顔を合わせない間柄ですから、信頼できるという何か保証が要る。そこをひとつ、このマークで信頼してください、というわけですね。そういう意味では、新しい消費社会が生み出した消費者も、その消費者をつなぎとめるための商標も、まさに二〇世紀が生み出した産物だったと言っていいんじゃないでしょうか。

〝顧客と消費者〟ということで言うと、ひとむかし前の岩波文庫とカッパブックスの違いが、わりといい例かも知れません。そのころ、岩波文庫の広告は、〝インテリ〟という特定の顧客を相手につくられているように、インテリじゃないぼくには思えました。岩波文庫の新刊が出るのを待ちかねているような人はだいたい顔つきまで決まっていて、広告はそういう人たちに向けて、「今月はこんなんが出ましたけど」と、お知らせをしていればそれでよかった。

それに対して、カッパブックスの広告は、いつも潜在的な消費者を掘り起こすようにつくられていたように思います。カッパブックスを創刊した光文社の神吉晴夫さんは、「読者は消費者だ。市場は創るものだ」といつも言っていましたが、本という文化財を消費財の感覚で売ったところが、あの人のすごさだったと、いまもぼくは思っています。

彼は、カッパブックスのタイトルも広告のうちだと考えていたし、広告のコピーにもずいぶん口を出していたようで、「カッパの本はパンのように売れる」なんてキャッチフレーズは、いかにも彼らしい。岩波はどうまちがっても、「岩波の本はパンのように売れる」とは書かないんじゃないでしょうか。

信用を売り差異を広告する

不特定多数の人たちのなかから顧客を掘り起こすには、どうしても広告が必要になります。それがあって、はじめて大量生産と大量消費の歯車がうまくかみ合い、回転していく。広告は、その歯車をうまくまわすための潤滑油みたいなもので、二〇世紀になってから広告がどっとふえてくるのは、そう考えれば、ごく当たり前のことだと言っていいでしょう。

ところで、広告というとふつうは、新聞広告とかポスターとか、いまだとテレビコマーシャルだとかを連想しますが、商店や会社の名前も、もちろん商品の名前も、りっぱに広告の一部です。それもかなり重要な部分だと言っていい。戦前の「美顔水」(化粧水)、「胃活」(胃薬)、「月の友」(月経帯)、「毒掃丸」といったような商品名は、商品名だけでちゃんと商品の効能まで広告していますし、戦後の「一番搾り」(キリンビール)や「ウオークマン」(ソニー)といったネーミングも、それ自体でみごとな広告コピーになっています。

商標も、同じです。さっきも言ったように、それは〝信用〟を広告する役目をになっている。と同時に、それは、他の企業や商品との〝違い〟をも広告しています。だいぶ前、「イチヂク浣腸と書いてないのはイチヂク浣腸ではありません」という名コピーを見たことがありますが、他社の類似商品と一緒にしてもらっては困ると、その差異を、優位性を、商標は広告していると言っていいでしょう。

ところで、商標はきわめて二〇世紀的な産物だと言いましたが、その起源はずっと古い。もともと、人間の歴史のなかで、絵は文字よりも複雑な情報を伝えられる記号として使われてきました。古代宗教のなかでも、絵(図像)が権威づけや呪術的な意味づけのためにいろいろ使われてきましたが、それが〝紋章〟という形になって広く使われるようになったのは、一六世紀ごろからではないかと言われています。

まず、ヨーロッパの王家が、自分の家門に独自の権威を与えるために紋章をとり入れる。その王家の権威を借りて自分の権威を高めようと、こんどは貴族たちがそれぞれ自分の家の紋章をつくりはじめる。そうやって紋章は広く使われるようになったのですが、高田宏さんの「商標図像学入門」(『広告批評』一九七号)によると、そうした紋章の図案は時代とともにどんどん複雑になり、やがて誰にも意味がわからないような、とんでもないものになってしまう。で、あまりに複雑な体系になって袋小路に入りこみ、ついには文字情報が優位になっていく時代の流れのなかで、自滅の道をたどっていきました。

そんなふうにいちど衰退した紋章が、新しい消費社会の出現とともに、はなやかに復活する。それが〝商標〟というわけですね。以前から日本にも、徳川氏の葵や、前田氏の梅鉢のように家柄を広告する家紋はありましたし、江戸時代の商家にも店ののれんや看板につける家印のようなマークはありました。が、潜在顧客を掘り起こすという積極的な広告機能を持った商標が登場してくるのは、やはり、二〇世紀になってからのことなのです。

生きている商標

商標は〝信用〟を広告する、〝権威〟を広告する、それによって他との差異化を果たす、と言いました。が、その〝信用〟や〝権威〟を保証する根拠は、いったいどこにあるのでしょうか。そんなものはありません。これは、一種の呪術です。まじないです。ちちんぷいぷいなのです。で、そこには、広告の本質の一面があります。広告は詐術でもありますが、それ以上に呪術に近いのではないかと、ぼくは思っています。

とりわけ、二〇世紀初頭に現れた商標には、その匂いが強い。花王の三日月、森永のエンゼル、福助足袋の福助といった商標の初期のものを、じっと見てください。消費者にまじないをかけてでも信用をとりつけたいという強い願望が、マークの奥にうごめいているような感じがしてきませんか。いまどきのグッドデザインとはまったく違った、どこかおどろおどろしい感じ。たとえば、福助のマークをおでこに貼って寝ると、朝になって目がさめたとき、顔が福助みたいになっているんじゃないかというような、そんな呪力を感じさせる何かがある。

これは余談ですが、一九八〇年代に川崎徹さんが演出したキンチョールのテレビコマーシャルに、どこかの教祖みたいないでたちをして橋の上に立った郷ひろみが、「ムシムシコロコロキンチョール」と呪文をとなえながら、通りかかる通行人のおでこにペタッとお札を貼っていくCMがありました。貼られた通行人は、とたんに夢遊病者のようになり、「ムシムシコロコロキンチョール」とウワゴトのように呪文を反復しながら去っていく。それを見た一人の青年が、「ムシムシ教だ、ムシムシ教だ！」と叫びながら逃げていくのですが、広告というものの本質をこんなにみごとに表現した広告はないと、このCMを見たとき、ぼくはある種の感動をおぼえたものです。アースでもキンチョールでも、性能上の差異はまったくないのに、あえてキンチョールを買うということは、ムシムシ教に帰依するということなんですね。

それはさておき、おどろおどろしい力を持った初期の商標にくらべると、いまどきの商標は、どうもひ弱い。言葉がない。呪力がない。グッドデザイン風に、きれいにお澄ましをしているものが多い。あれはまさに、商標の衰退です。簡単に言葉で説明できてしまって、あとには何も残らないような、文字優位時代の悪いビョーキにかかっている。それから見ると初期のものは、経営者が自分で絵を描いたり、図案家と一緒に案を練ったりしているケースが多い。それだけ、商標が生きている。息をしている。思いがこもっている、と言えるんじゃないでしょうか。

と同時に、安易にちちんぷいぷいに寄りかかるだけでなく、古代のエンブレムのように、絵に深

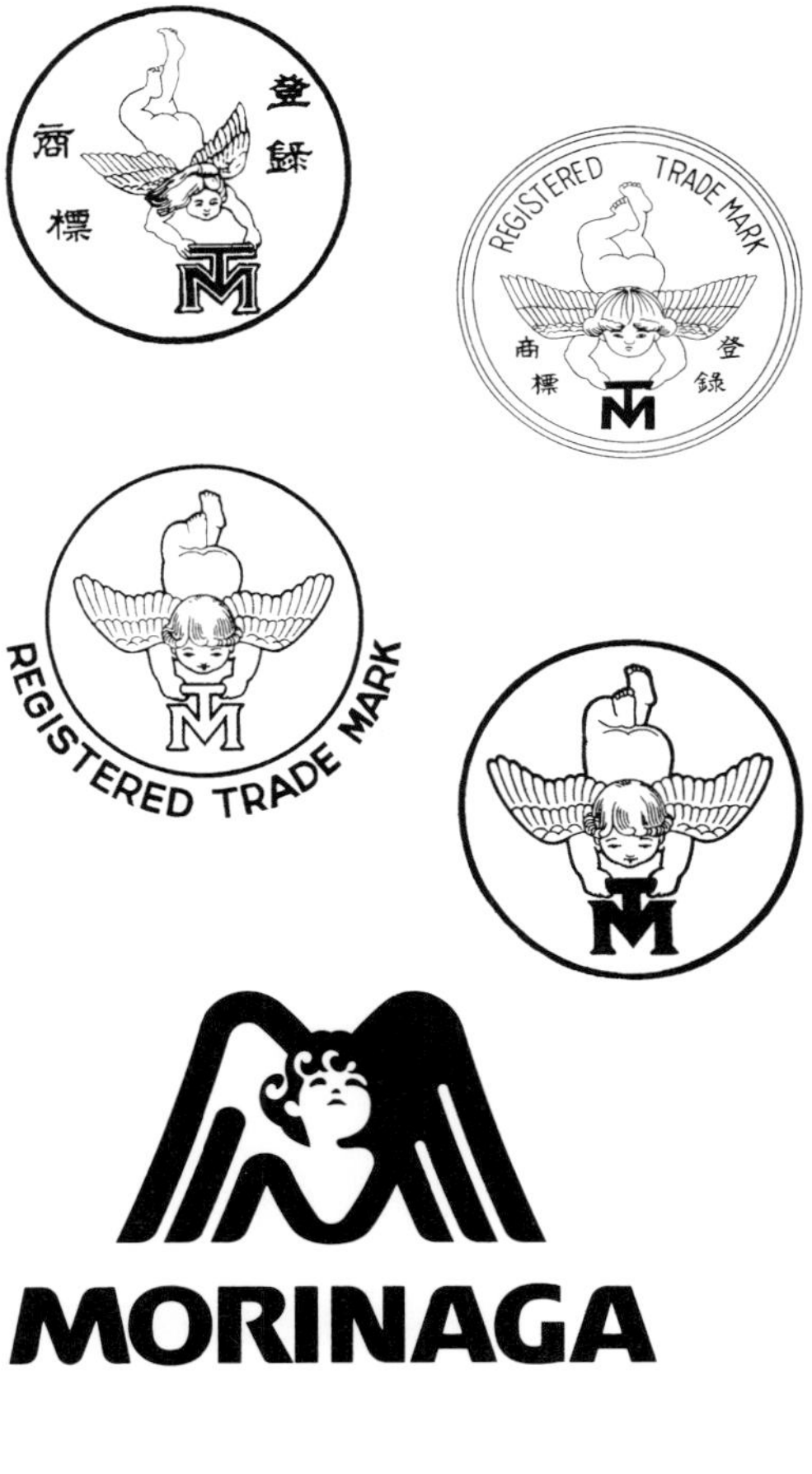

図 13 森永のエンゼルマークの変化．上から，1905 年(明治 38)，1920 年(大正 9)，1933 年(昭和 8)，1953 年から 86 年まで(昭和 28 – 61)，現在のエンゼルマーク

い意味を持たせているというか、商品の世界を暗示的に表現したものが多いんですね。たとえば、森永のエンゼルは〝エンゼル・フード〟のエンゼルからきている。創業したときの森永は、商品のなかでマシュマロにいちばん力を入れていたのですが、そのマシュマロのことをアメリカでは〝エンゼル・フード〟と呼んでいる。天使の食べもの、だからエンゼル。というわけで、天から降りてくるエンゼルの絵が生まれた。で、そのエンゼルが持っている(とまっている?)のは、創業者・森永太一郎のイニシャル〝T・M〟というわけです。

グリコのランナーのエピソードも面白い。だいたい、あのグリコという飴は、創業者の江崎利一が、郷里の河原でカキを煮ている女たちが、その煮汁を川に捨てている光景を見て、「あの煮汁のなかにはすごい栄養分が含まれているんじゃないか」とひらめいたところから生まれています。で、煮汁を女たちから分けてもらって大学の研究室で分析してもらったら、グリコーゲンという筋肉を動かすのに必要な物質がたくさん含まれていることがわかる。で、そこから、あのグリコが誕生したというわけです。

ところで、そんな商品の効能をどう商標に表現したらいいかと、江崎は近くの神社の境内であれこれ思いをめぐらしていたそうです。と、そのとき、そばでかけっこをしている子どもたちが目に入った。元気よく両手をあげてゴールにかけこんでくる子どもたちを見ているうちに、江崎は「あ、これだ、これしかない!」と叫んだというんです。で、さっそく、自分であのランナーの下絵を描いて、それを商標にデザインさせたということです。

つまり、ゴールにかけこむランナーの絵といい、有名な「一粒三百メートル」のキャッチフレーズといい、そこには、おまじないだけではなく、それなりに科学的な裏づけもある。そこがなんとも面白いところです。

この話を聞いたとき、ぼくは広告の世界では有名な「平賀源内とうなぎ」の話を思い出しました。商売がうまくいかずに困っている近所のうなぎ屋に、「先生、なんとか知恵を貸してください」と泣きつかれた源内が、「土用丑の日にうなぎを食べると夏負けしないという噂を江戸市中にばら

図 14　上から，1922（大正 11）発売当時のマークと，現在のマーク

まけ」と妙案をさずける。おかげで、土用の丑の日になると店にお客が押しかけ、そのうなぎ屋も商売を持ち直した。で、以後、土用の丑の日にうなぎを食べるという慣習が国じゅうに広まったという、あの話ですね。ま、この話の真偽は別として、確かにうなぎには、夏負けをふせぐのに役立ちそうな栄養たっぷりのイメージがあります。イメージだけではなく、それなりの科学的根拠もあるらしい。嘘かまことか、その境い目を微妙についているところが、いかにも天下の才人・源内らしいと言っていいんじゃないでしょうか。いまどきの、たとえば「三月四日はサッシの日」なんていうのとは、月とスッポンの違いですね。

それはともかく、初期の商標には、その一つひとつにドラマがある。創業者の熱い思いがこもっている。それが呪力になって商標からゆらゆらと立ちのぼってくるのであって、口先で「ひらけ、ゴマ!」と叫ぶだけでは、とても消費者の財布をひらかせることはできないでしょう。

第四講　T型フォード——民主主義を広告する

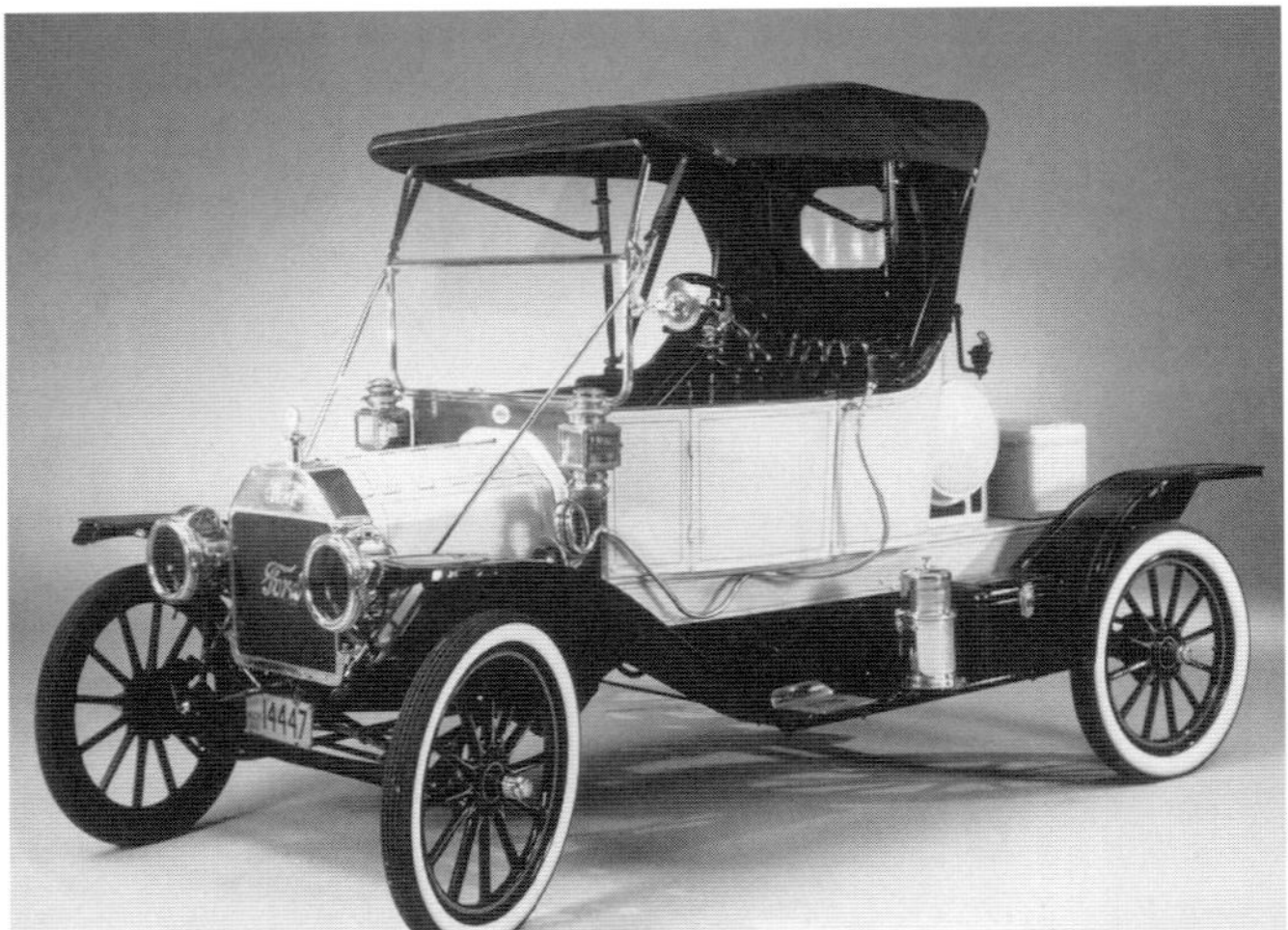

T 型フォード(1908 年)

自動車の父

もうすぐ二〇世紀が終わろうとしているある日、NHKから「二〇世紀最大の発明は何か」というアンケート用紙が届きました。で、迷わずぼくは、「二〇世紀最大の発明はテレビ」と答え、ついでに「二〇世紀最悪の発明は原爆」と書き添えたのですが、そのテレビと同じくらい二〇世紀の人間の意識を決定的に変えたものに、もう一つ、クルマがあるとぼくは思っています。

ただ、こっちは一九世紀の発明で、それも一八二〇年代にはもう蒸気機関を使って走るクルマが出現していました。が、クルマの歴史が本格的に動き出すのは、一八八五年にドイツのダイムラーとベンツが、ガソリン・エンジンで走るクルマを発明してからのことです。

アメリカでは、一八九三年、デュリア兄弟が開発したクルマが、第一号と言われています。当時、商品としてのクルマはまだ市場に出ていませんでしたが、クルマ時代の到来を予見して『馬なし時代』(Horseless Age) という業界紙が創刊されています。で、その創刊号にデュリア兄弟が出した半ページの広告が、アメリカにおけるクルマ広告のはじまりでした。なんとそのころは、クルマは〝馬なし馬車〟と呼ばれていたんだそうです。

デュリア兄弟だけでなく、この時期には、機械マニアの人たちが、クルマの開発にしのぎをけずっていました。そうしたクルマを集めて、各地で自動車レースが行われる。そこで優勝することが、新しいクルマを開発するための資金集めに、大きな役割を果たしていたようです。

そんなクルマの歴史の上での最大の〝事件〟は、一九〇八年のT型フォードの出現です。二〇世紀を動かす自動車文明の歴史は、ここからはじまったと言っても言いすぎではないでしょう。そのクルマをつくったのが、のちに〝自動車王〟とも〝自動車の父〟とも呼ばれるヘンリー・フォードですが、そのときの彼は、四五歳の壮年でした。

一八六三年にミシガン州の農家に生まれた彼は、小学生のころから機械いじりが大好きで、一六歳のある日、学校へ行くと出かけてそのままデトロイト行きの汽車に乗り、蒸気機関の製造工場に就職する。このへんの話は、子どものころに読んだ〝偉人伝〟でみんなよく知っているでしょうから省きますが、その後の彼はすべてを投げうってクルマの開発に専念し、一八九三年に第一号車を完成、さらに、一九〇三年のニューヨークのレースに優勝して、フォードの名前を全国に知られるようになりました。

で、その年にフォード自動車会社を作り、会社設立の五日後に、後部座席が取り外せる〝フォードモービル〟を売り出している。ちなみにその広告を見ると、「道路のボス」というキャッチフレーズの下に商品の絵を配し、その横にはこんなボディコピーがのっています。

悪臭、騒音、動揺など、他社製の自動車に共通の欠点のすべてを除去した最良のクルマです。

一五歳の子どもにも動かせる簡単さで、仕上げの美しさでも並ぶものがありません。

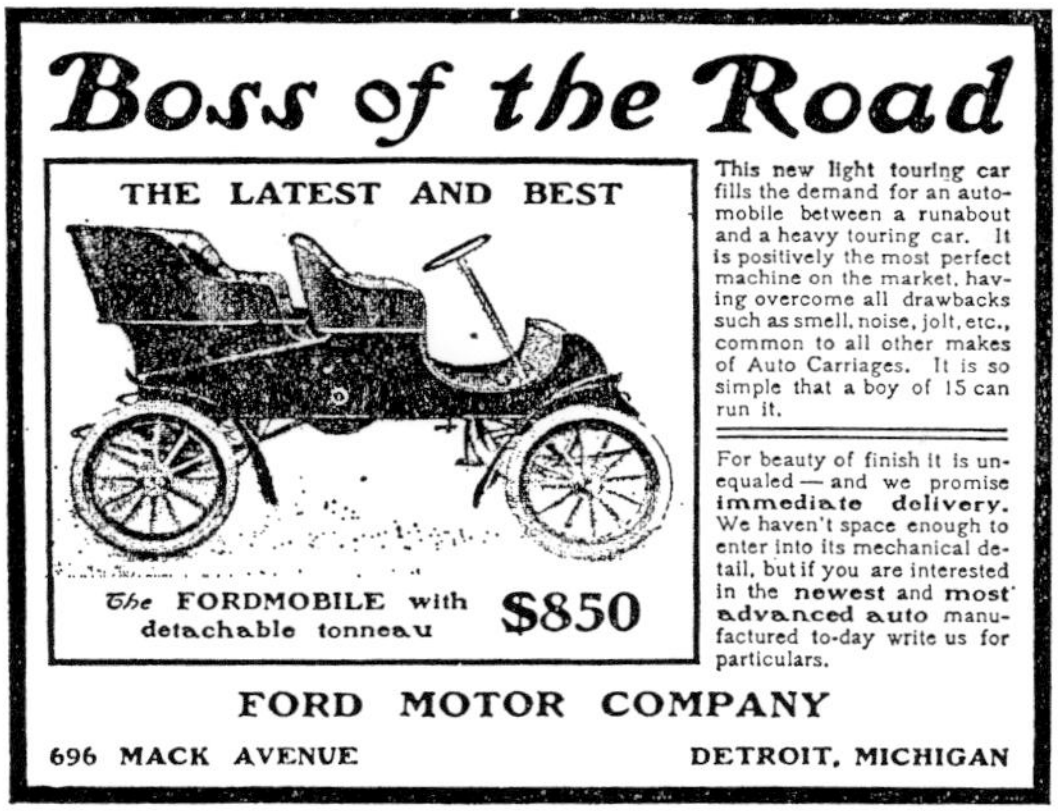

図15 フォードモービルの広告「道路のボス」(1903年)

ここには、いかにもフォードらしい自信と誇りが感じられますが、この五年後に発表されたT型フォードは、彼のクルマづくりの理想のみごとな結晶でした。

なにしろこのクルマは、一九〇八年に世に出てから、七年後の一九一五年までに、世界の自動車の生産台数の半分近くを占めるまでになったというのですから、これはもう、文句なしの大ヒット商品です。当時、アメリカの多くの家庭にいたお手伝いさんは〝リジー〟というエリザベスの愛称で呼ばれることが多かったそうですが、T型フォードは発売当初から〝ティン・リジー〟(ブリキのリジー)という名でみんなに親しまれた。で、発売以来一九年間に一五〇〇万台が製造され、一九二七年、A型フォードの登場とともに、〝ティン・リジー〟は自動車史の舞台からその姿を消しました。

一九年ぶりにフォードが発表したA型もまた、T型以上に大きな話題を呼びました。さすがのT型もいささか古めかしくなり、それに代わってどんな新車をフォードが発表するかは、発売前からアメリカ中の期待を集めていたのです。それにこたえるように、A型フォードの発売広告には、ヘンリー・フォード自身が写真入りで登場し、人びとにこう語りかけました。

一九年前、私たちがT型フォードを世に出したときに、私たちはみなさんにこう言いました。

「私たちは大衆のためのクルマを作ります。それは、家族で乗っても十分な広さがあるし、一人で走るときに広すぎるということもない。最良の技術者、最良の材料、そして、現代の技術で可能な限りシンプルなデザインのクルマです。それでいて、だれもが手に入れることができるような低価格を実現しました」

私がもし、きょう事業をはじめたとしても、あるいは、きょう私のポリシーを聞かれたとしても、この発言を一言一句たりとも変えるつもりはありません。平明で簡潔な言葉のなかにフォード社の存在意義が語られ、その成長が裏づけられているのです。

この一九年間で、私たちは一五〇〇万台のクルマをつくりました。馬力に換算すると三億馬力です。しかし、私はこの機械を、私の名前を冠しただけのものとは考えていません。私はこの成功を、単なるビジネス論をこえた私の持論が、広く受け入れられたからだと考えています。ビジネスとは、私たちが住んでいるこの世界を、生きるに値する楽しい場所にしていくためにあるという持論です。

T型フォードはパイオニアでした。それが世に出たときには、人びとはまだそれが必要だとは意識しませんでした。いい道路は少なかったし、クルマを買おうとするような人もわずかしかいませんでした。

フォードのクルマは自動車産業のための道をひらき、道路づくりのための気運をつくり出しました。時間と距離の壁を壊し、教育の普及にも貢献しました。人びとに多くの余暇をもたらしました。仕事の時間を節約し、仕事が楽しくできるような手助けをしました。それはこの国の成長と進歩を促進する大きな役割を果たしました。

私たちはいまも、T型フォードの記録を誇りに思っています。そうでなかったら、こんなに長いあいだ、製造しつづけることはなかったでしょう。しかし、一九二七年は一九〇八年ではありません。一九一五年でも、一九二六年ですらないのです。

ずいぶん長々と引用してしまいましたが、これでもまだ、コピー全体の三分の一にもなっていない。で、このあと、ヘンリー・フォードはA型フォードの開発にかけた思いを語り、コストダウンのためのフォード社ならではの工夫や努力についてくわしく述べ、そして、「私たちはこれが、自動車産業の進歩に寄与し、国家の繁栄に貢献し、そして何百万の人たちの幸福に奉仕していると考えています」と、この長い〝演説〟を終えています。広告史上、長文の広告は数多くありますが、こんなにコピーが長い広告(全部で一五〇〇語)は、ほかにそうはないんじゃないかという気がします。

一九二七年の春、この広告づくりの進み具合を見るために、ヘンリー・フォードは、担当の広告代理店を訪ねました。広告はほとんどできあがっていましたが、「コピーを読みましょうか」とコピーライターが聞くと、フォードは「いや、自分で読む」と言って、数日間にわたって連載される予定の広告のコピーを読み、読み終わってこう言ったそうです。

「いいと思います。ただ、一つだけ訂正してください。コピーのなかに一か所、〝完璧〟という言

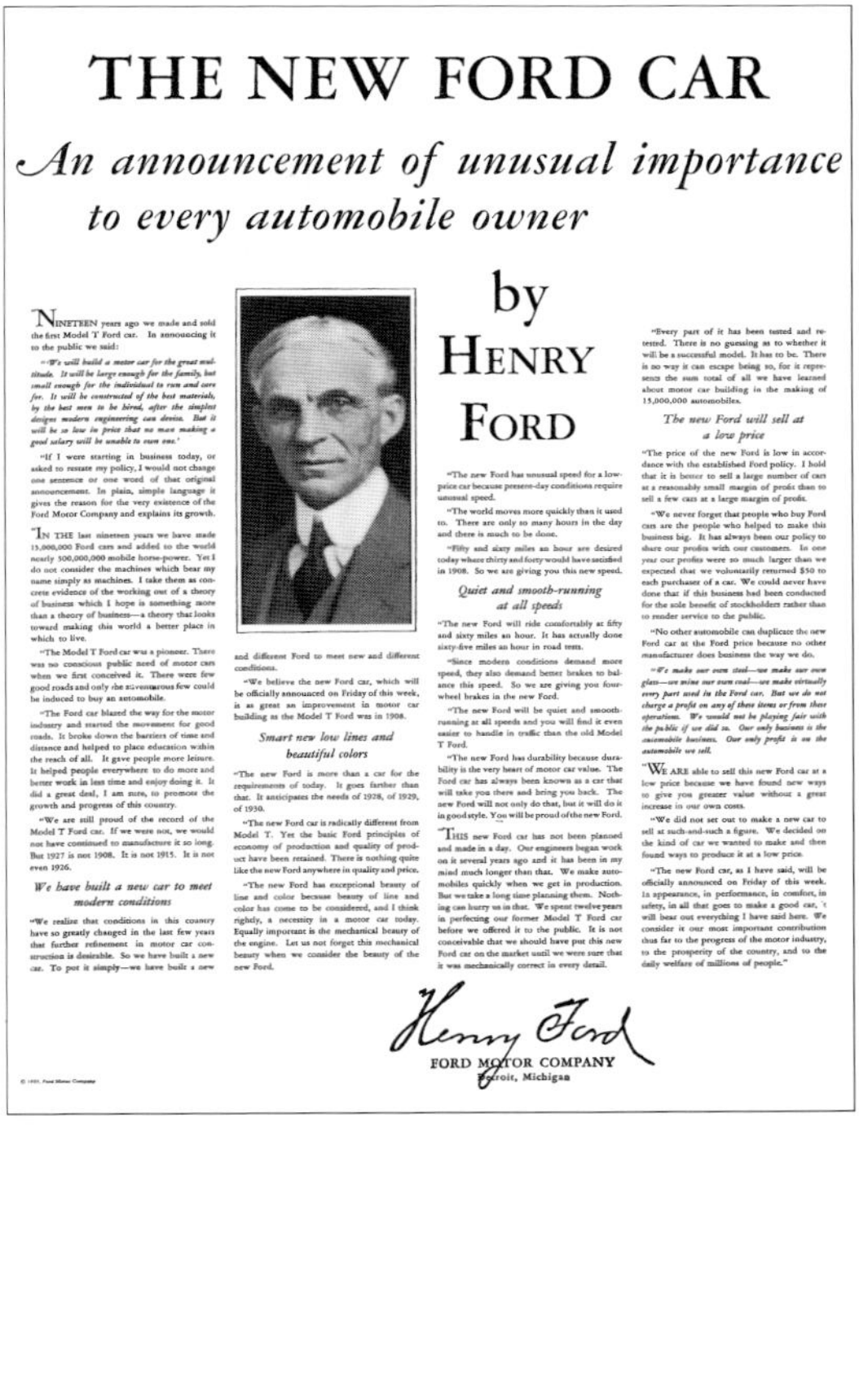

図 16　A 型フォード発売広告(1927 年)

葉がありますが、この世に完璧なものなどありません」

広告をチェックするのは四〇分もかからなかったそうですが、こうして広告ができあがり、第一日目はヘンリー・フォードの信念を語った前述の広告が、第二日目は新車についての概要が、第三日目は新車の性能が、そして第四日目に写真と値段が公開されるといったぐあいに、連載広告が発表されました。

そして、一二月二日のこのクルマの公開日には、寒い雨が降りしきるなかを、多くの人が行列を作ってショールームの前に待っていました。五〇〇人をこえる熱心なファンは、夜中の三時から列を作っていたそうです。これはニューヨークでのことですが、デトロイトでもダラスでも同じような光景が見られたし、所によっては、小学生がバスに乗って見物にくるというひと幕もあったと言います。ちなみに、初日の見学者は一〇〇〇万人をこえ、売上は数週間で八〇万台に達したと記録されています。

民主主義のシンボル

話題を巻き起こしたA型フォードの広告にくらべると、T型フォードにはこれといった広告はありません。A型の広告のなかでフォードが言っているように、一九〇八年の時点ではクルマの市場はまだ小さかったので、それほど広告に依存する必要がなかったのでしょう。が、それ以上に、T型フォードの場合には、クルマそのものが広告になった。〝走る広告〟になった。だいたい、クルマという商品は、家具や冷蔵庫などと違って、屋外を走るものだから、いやおうなく人目に触れることになります。つまり、商品自体が、自分で自分を広告しながら走っているようなもので、印刷広告よりもずっとリアルで、デモンストレーション効果を持った広告になっていると言っていいでしょう。

とくに、クルマはまだ珍しい時代です。そんな町のなかを、村の道を、フォードの新しい大衆車に乗った人たちが、どんどん走りまわるようになる。それは人びとに、T型フォードという新しいクルマを広告したことはもちろんですが、決してそれだけではない。社会学者たちが指摘しているように、それは、人びとにもたらすさまざまな〝自由〟を、さらには〝民主主義〟というものを、わかりやすく広告することになりました。

リースマンの言葉を借りれば、「若者には親の考えや監視からの自由を、黒人には黒人専用席からの自由を、既婚者には配偶者からの自由を、独身女性には男のエスコートからの自由を」といったように、まさにクルマは、さまざまな〝～からの自由〟を世の中に提供することになったのです。「人と人とを結びつけると同時に隔てているすべての空間をクルマは模様がえしてしまった」（マクルーハン)という言い方もできるでしょう。と同時に、クルマはだれでも走れるハイウエイや、だれでも利用できる保養所など、〝平等〟の社会的な地ならしもすることになる。そんな〝自由〟や〝平等〟をもたらす役目を果たしたのは、別にT型フォードだけではなく、すべてのクルマについて言えることですが、だれでも手に入れられるような安い値段でそんな大役を果たしたという点で、T型フォードが〝民主主義〟を広告した代表選手だったと言ってもさしつかえないでしょう。

〝民主主義〟のシンボルだったクルマは、その後、世の中の動きにつれて、さまざまなシンボルに細分化していきます。高級車パッカードが一九三八年に出した広告には、クルマが人びとの暮しのなかに溶けこんでいく様子が、みごとに映しとられているように思います。

〈プラタナス並木の大通りに天国があったころ〉

少年時代、学校から帰るプラタナス並木の大通りに、まるでおとぎの国からきたのではないかと思えるほどすてきな場所があった。

それはパッカードのショールームで、そこには、年に一度だけ、父親が連れて行ってくれたものだ。

わが家は、パッカードが買えるほど裕福ではなかった。が、父と私は、すばらしいクルマを眺めているだけで充実していたし、それが自分のものになればどんなにすてきだろうと想像していた。

ことし、私と妻はクルマを買い替えようと思っていたが、たまたまパッカードのショールームの前を通りかかったとき、私は妻に、「見るだけでもちょっと入ってみようじゃないか」と、

図 17　パッカードの広告「プラタナス並木の大通りに天国があったころ」(1938 年)

あのときの父のように言ってみた。

パッカードが決して高嶺の花でないと私と妻が知ったとき、どんなに驚いたか。それは、十分に手の届く値段だったのだ。月々の支払いは、いちばん安いクルマを買った場合より数ドル高いくらいのものだった。

そしていま、私たちはパッカードに乗っている。子どものように楽しんでいる。パッカードの車体が、私たちがパッカードのオーナーだと世界に告げている。パッカードはいままでに出会ったなかで最良のクルマだ。

教訓：事実を知りなさい。そうすればパッカードにたどりつく。

パッカード。持ってる人に聞いてごらん。

ちなみに、最後の「持ってる人に聞いてごらん」というのは、創業者のJ・W・パッカードが考えたキャッチフレーズで、一九〇二年以来、パッカードのすべての広告に使われていたものです。

話題になるということ

広告は、新聞広告やテレビCMのように、有料のものとは限りません。商品に関係のある話題がメディアのニュースになるのも、広告の一つです。ニュースにしてもらうように、企業の側からメディアに働きかける行為をパブリシティと言いますが、別に働きかけなくてもニュース価値のあるものはニュースになる。それもまた〝広告〟と考えていいし、そのほうが広告効果も大きいと言っていいでしょう。

二〇世紀のはじめに、クルマの大衆化を促進したのも、雑誌や新聞にのった広告よりも、あちこちで行われた自動車レースのニュースでした。とくに、スピード競走やクロスカントリーには、大衆のクルマ熱をあおる最高の広告的価値があったようです。レースのあるたびに、新聞がセンセーショナルな見出しで、その結果を派手に報じたからです。

フォードは広告より自動車レースのほうで、もっぱら話題づくりをしてきました。レースで優勝することが、いちばん効果的な広告手段であることを、フォードは知り抜いていたんでしょう。一九〇一年には、当時の有名な自動車メーカーだったアレクサンダー・ウイントンと競走して優勝していますが、フォードの名を一気に高めたのは、一九〇三年にニューヨークで行われた三マイルレースでの優勝でした。

このときのクルマは、スピードが出すぎるので、フォード自身は運転することができず、有名な自転車レーサーだったオールドフィールドという人に運転させていますが、この優勝でフォードはアメリカ中で大評判となり、フォードの名を高めるとともに、運転したオールドフィールドも、花形レーサーとして若者たちのヒーローになったと言われています。

いつの時代にも、広告にとって大切なのは、〝話題〟になること、〝評判〟になることです。「世間の話題になんかならなくても、その商品を買いたいと思っている人にだけ広告は届けばいいのだ」と言う人がいますが、それは大まちがいです。いまそれを買いたいと思っている人にだけ届くのでは、広告はまったくペイしない。広告が話題になり、評判になることで、つまりメディアによって増幅されることで、はじめて広告は、それを買いたいと思う人を掘り起こしたり、あるいは商品や企業のファンをつくり出すという本来の働きをすることができるのです。「話題にもならない広告は広告ではない」というのが、広告の鉄則だと知ってください。

広告や販売の面だけでなく、経営の面でも、ヘンリー・フォードは、話題を提供しつづけた人でした。たとえば一九一四年に、彼は未熟練労働者にも当時としては破格の最低日給五ドルを支払い、さらにその労働時間を従来の一日一〇時間から八時間に減らすという宣言をして、大きな話題をまいています。こんな例をあげればきりがないほど、その後も彼はあっというアイデアを出しつづけ、マスコミの話題をにぎわしてきました。で、それがまた、なによりも強力なフォードの広告になったのです。

広告をつづけるということ

ヘンリー・フォードはまた、「商品を売ったあとも、お客には満足を与えつづけなければならない」と言っています。その実践として、彼は全米のいたるところにサービス・ステーションを作りましたが、いい広告を出しつづけることも、商品を買ってくれたお客に〝安心〟を売ることになる。これも広告のとても大切な役割の一つです。

そんな考えが継承されているんでしょう、ヘンリー・フォードの死後も、フォードは商品広告だけでなく、企業広告に力を入れてきました。全体の広告のなかで企業広告が占める割合が、アメリカの自動車メーカーのなかでは、いちばん高いのではないかと思います。つまりそれだけ、商品を売ることだけでなく、市民社会とのつながりを大事にしてきたということになるでしょう。

時間が一気に飛びますが、一九六〇年代の終わりに、アメリカの自動車産業は、ラルフ・ネーダーの攻撃を受けて、大揺れに揺れました。ラルフ・ネーダーと言えば、世界ではじめて消費者運動を起こした弁護士ですが、彼の率いる消費者運動のグループが、当時事故の相次いだ欠陥車の問題を追及し、いまや巨大な権力となったアメリカの自動車産業界を、思いっきりゆさぶった人です。

そのとき、なんとかネーダーたちの運動をつぶそうとした自動車産業界のなかで、一九六九年にヘンリー・フォード・ジュニアは「私たちはまちがっていた」とみずからの非を認める宣言を出し、自分たちがいちばんよくわかっているというビッグビジネスの思い上がりを捨てて、「消費者の声を聞く」という企業活動の原点にかえる決意を表明する。で、その立て直しの一環として、「私たちは聴きます(We Listen Better)」という企業広告のシリーズを開始しました。

そのなかの一つ、一九七一年の五月に出た広告を、ちょっと見てみましょうか。

“We Listen Better”(私たちは聴きます)なんて、デトロイトの新しいダマシの手口だと思っている方への中間報告。

私たちは聴きます。聴くことが流行だからではなく、それが正当な利益を得るための最良の道だからです。

しばらく前、私たちはみなさんに手紙を書いてくださいとお願いしました。たくさんの人たちがそうしてくれました。すでに数千通になります。どの手紙も重要です。着くとすぐ、それは読まれ、担当部門に送られ、回答されます。電話でお答えすることがいちばん多いのですが、二四時間以内に連絡がとれない場合は電報にしています。毎週一回、手紙はまとめられ、社内の重要な人たちに読まれます。ヘンリー・フォード・ジュニアも、そのなかの一人です。

そしてこの広告は、寄せられた手紙の例をいくつかとりあげて紹介する。

「煙草を吸わない者としてひとこと。いつも不思議に思うのですが、標準装備にライターがついているクルマを、どうして私が買わなければいけないのでしょうか。ライターのかわりに時計のついているクルマを、なぜ買えないのですか」(D・ゲルバード、カリフォルニア州バーバンク)

「いかなる名目のもとに、あなた方は実用的なバンパーをクルマにつけないのですか。ちょっとぶつけたくらいで壊れてしまうようなバンパーをなぜつけるのか。ワケが知りたいものです」(J・ハイス、オハイオ州ペイネスビル)

「安くて頼りになる経済車がほしい。ぼくのような貧乏学生には、あなた方デトロイトの紳士たちが考えるクルマは、長すぎて、デカすぎて、高すぎて、化け物でしかありません」(H・フォスター、ニューヨーク州シラキューズ)

こんな例をいろいろ紹介したあと、広告は「こうした声に、すぐこたえられるとは言いません。なかには、とても相談に乗れないような苦情も混じっています。しかし、私たちは少しずつでも、みなさんの要望にこたえていくつもりです。それだけは確実にお約束できます。私たちは聴きつづけています」と結んでいます。

「"We Listen Better" なんて、デトロイトの新しいダマシの手口だと思っている方への中間報告」というキャッチフレーズといい、自動車会社にとって耳の痛い手紙ばかりの例の取り上げ方といい、ここには、広告なんてしょせんダマシの手口でしかないと思っている人たちの、言いかえれば、広告に対する大衆の不信の目がとりこまれています。企業と大衆のあいだに、そして広告と消費者のあいだに横たわっているそんな断層をはっきり認めることで、この広告はそのままフォードの自己批判の〝表現〟となり、フォードという会社の率直さの〝表現〟にもなっていたと言えそうです。

ちなみに、この時期に行われた自動車産業についての世論調査では、フォードに対する好感度がいちばん高かったそうです。「フォードなら市民の立場になって危機をのりこえるだろう」という声が多かったらしい。これも、ヘンリー・フォード以来、長いあいだにわたって積み上げてきた広告の〝蓄積効果〟と言っていいでしょう。広告は、〝する〟ことより、〝しつづける〟ことが大切なんですね。

第五講　ヒトラー——ナショナリズムを売る

演説するヒトラー

危ない商品

二〇世紀は戦争の世紀でもありました。いつの時代にも戦争はありましたが、一九世紀までの戦争は、お互いに槍を持った軍勢が野原にやってきて、やあやあと殺し合いをする程度のものでした。が、科学技術の世紀でもある二〇世紀になると、大量殺戮や大量破壊を可能にする武器がどっと出現する。それによって、これまでとは比較にならないくらいの死者が出ることになったのです。日本でも、二〇世紀以降、たくさんの人たちが戦争で死んでいます。とくに太平洋戦争では、軍人ではないふつうの人たちが、沖縄や広島や長崎などで、数多く命を落としました。

その戦争が終わって、もう半世紀以上がたちますが、終戦のときぼくは小学校の、いや、戦争中は国民学校と言いましたが、その六年生でした。ただ、正直なところ、戦争が終わったということを、そのときどう感じたか、あまり記憶がない。そのことよりも、学校で使っていた教科書のところどころを、墨で塗りつぶさせられたときの気持ちのほうを、よくおぼえています。「はい、次は何ページの何行目から、そのページの終わりまで」なんて先生の指示にしたがって、教科書の文章の特定の部分を墨で塗りつぶしていく。〝神国日本〟とか〝八紘一宇〟なんていうのが、都合が悪いわけですね。ページによっては、まるまる一ページ塗りつぶしたところもあったように思います。

とにかく、びっくりした。すごく抵抗がありました。なぜって、本は大切にしろとふだんから言われてきた。その本に、それもいちばん大切な教科書に墨を塗っていくことは、なんだか自分の心に墨を塗っていくような気がしたのを覚えています。そこに書いてあることに嘘があるのは、ある程度、しようがない。教育っていうのは、その国の体制を維持するのに都合のいい国民を育てあげるという視点が入っていますから、その国家の体制が変われば、教科書も変わってくるのは、ある程度はやむをえない。ただ、問題はそのやり方であって、都合が悪いなら、教科書を全部回収して総とっかえにすればいい。それを一人ひとりの子どもに墨を塗らせるというやり方は、あまりに下手なやり方じゃないかなと、ぼくは思います。大人たちの言ってることって、一日でコロっと変わるんだということを、子どもたちにいやおうなく実感させるやり方だったですね、あれは。

ま、こういうお上のやり方の下手さは、なにもそのときだけのことではない。それまでの、つまり戦時下の国民に働きかける広告のやり方なども、お世辞にもうまいと言えるものではありませんでした。「贅沢は敵だ」とか「欲しがりません、勝つまでは」などはまだいいとしても、「いざ来い、ニミッツ、マッカーサー、出てくりゃ地獄へ逆落とし」なんて、子どもだましみたいな広告が町にはんらんしていました。それでも、あのときの日本人が、あれほど簡単に「一億一心」になってしまったのは、天皇制をはじめとして、すぐに一枚岩になりやすいような土壌が、マッチ一本で一面火の海になってしまうような空気が、この国にあったからではないかと思います。

これとは反対に、高度の広告技術を駆使して国民を戦争に駆り立てることに成功したのは、ナチのヒトラーです。彼のやった数々の非人道的な行為が、決して許されるようなことでないのはわか

図18　ナチスのポスター「諸君の団結と忠誠があれば――二度と国は破壊されない」(1933年)

りきったことですが、彼と宣伝大臣のゲッベルスがコンビで駆使した政治宣伝の技術だけを取り出してみれば、たいへん高度なものだったと言っていいでしょう。

高度な広告術を駆使してヒトラーが売ったのは、〝ナショナリズム〟という危ない商品です。ナショナリズムというものが出てくるのは、近代国家が形成される一九世紀のヨーロッパからだと言われていますが、やがてそれが、国家間の激しい対立を生むようになる。民族のあいだに文化や歴史の違いがある以上、ナショナリズム的な感情が生まれるのは、ある程度やむをえないことですが、それが人種や宗教の差別感情や排他意識を生み出すようになると、これはもう救いがたいものになります。

二〇世紀は、世界がそんなナショナリズムの制御に失敗した世紀であり、その結果として、世界のあちこちにさまざまな形のテロリズムを引き起こしてしまった世紀でもあります。なかでも、ヒトラーが一九三〇年代に売ったナショナリズムという商品はタチが悪い。二〇世紀の世界が、なんとか地球上から排他的民族主義をなくしていこうと努力しはじめた時期だけに、タチが悪いんですね。そういう意味で、「ヒトラーの虐殺は、二〇世紀を特徴づける犯罪だった」と、加藤周一さんは言っています。

演説の秘密

ヒトラーの広告術は、実に巧妙でした。政治広告の歴史では、秦の始皇帝やルイ一四世など、広告上手の政治家はたくさんいますが、彼らは絶対的な権力と金力にものを言わせて自分の偉大さを広告した人たちなんですね。ところが、ヒトラーの場合はまったく違う。この時代は、もう大衆が主役の時代になっています。しかも、ヒトラー自身も大衆のなかから出てきた名もない男だった。それでいて、大衆をあれだけ巧みに操作したわけですから、広告術もよほど練り上げたものでなければ通用しません。それをヒトラーは、自分の直感的な思考力にゲッベルスの科学的な思考力をプラスすることで、〝ナチの広告術〟を作り上げたのです。

で、そのすべてを短い時間でお話しすることは、とてもできません。そこで、ここでは、彼の広告術のなかで最も強烈な力を発揮した〝演説〟にマトをしぼって、話を進めていこうと思います。ついでに言っておくと、ナチの宣伝については、草森紳一さんの『絶対の宣伝』(全四巻、番町書房)がたいへん面白い。ヒトラーの演説について、これから紹介するいろんな人たちの発言も、その本から引用させてもらうことにします。

まず、ヒトラーの右腕であったゲッベルス自身は、ヒトラーの演説をどう聞いたか。はじめて聞いたヒトラーの演説の印象を、彼は日記に残しています。彼がナチに入党する前ですね。ちょっと読んでみましょうか。

僕ははじめほとんど気づかなかったが、突然誰かが向こうに立っていて話しはじめていたのだ。最初はためらいがちに、はにかんで——それはまるで思想が偉大なために、普通の言葉の狭い枠におさまらないので、その思想にぴったりとした言葉を、手探りで探し求めているみたいだった。それから、だしぬけに言葉は響きを増した。僕は引きずりこまれた……。

聴衆はざわついてきた。やつれた顔には希望の色が浮かんできた。向こうの方で誰かが拳をふりながら立ちあがった。その隣の男はネクタイをゆるめ、額の汗をぬぐった。僕の左ひとつ置いた席の老士官は子供のように泣いていた。僕はこごえとほてりを交互に感じた。何が起こりかけているのかまったくわからない。まったく大砲が轟いているようだ。僕は我を忘れた。僕は万歳を叫んでいた！　誰も驚きはしなかった。はるか壇上に立っている男が、一瞬、僕を見た。彼の青い目は炎のように僕の目をやいた。神の声だ！　その瞬間、僕は生まれかわった。今や僕は進むべき道を知った。

（西城信訳『ゲッベルスの日記』番町書房）

で、この演説を聞いてすぐ、ゲッベルスはナチに入党しています。ヒットラーのもとに馳せ参じてしまうわけです。この日記を読んで、ぼくはイエスに会ったときのマタイを連想してしまいました。道で目が合って強く心うたれ、「私についてきなさい」というひとことで、すべてをなげうってイエスの弟子になった、あのマタイです。ま、イエスとヒトラーでは、それこそ神と悪魔の違いはありますが、このときにゲッベルスが受けた衝撃は、マタイと同じくらい大きかったんじゃないでしょうか。

言っているのがゲッベルスだから、広告的誇張があるんじゃないかと思う人のために、もう一人、のちにナチの軍需大臣になったシュペールという人の見方も紹介しておきましょう。これも彼がはじめてヒトラーの演説を聞いた時の印象を書いたものです。

数分に及ぶ大喝采を、彼はほとんど拒むかのように、懸命に止めさせようとした。それから低い声で、ためらいがちに、いささか内気に、演説というより一種の語りかけを始めていったようすが、私には魅力的であった。

そのうちにヒトラーのはじめの控えめさは消え、ときどき音程をあげ、暗示的な説得力で聴衆の胸の中へ踏みこんできた。話の内容はよく覚えていないが、印象のほうはあとあとまで強烈に残った。……

会場全体に一枚岩的な雰囲気が生じた。ヒトラーは最後には、説き伏せるために話しているのではなく、むしろ今や一団となった聴衆が彼になにを期待しているかがわかっていて、それを語っているのだと確信しているふうだった。

（品田豊治訳『ナチス狂気の内幕』読売新聞社）

シュペールの話は、ゲッベルスのように興奮気味ではなく、クールです。が、ヒトラーの演説の仕方についてはまったく同じように書かれていて、彼の演説の秘密がよくわかります。最初はまず、低い声で、ためらいがちにはじまり、突然、言葉のヴォルテージが上がったかと思うと、やがてモノに憑かれたように、激しい身ぶりとともに怒号し、咆哮する……。

こんなヒトラーの演説ぶりは、たとえば、一九七七年に西ドイツで作られたドキュメンタリー『ヒトラー』（監督：ヨアヒム・C・フェスト）で実際に見ることができます（日本でもアイ・ヴィー・シーというところからDVDで出ています）。これは一九三三年、彼がワイマール共和国の首相になって初めての演説ですが、とにかく大迫力なんですね。

まず、超満員の会場で、緊張気味に出を待つヒトラーが映る。やがて紹介のアナウンスがあって壇上に上がる。ところが、これがなかなかしゃべらない。ずーっと、しゃべらない。はじめはすごい拍手なんで、それがやむのを待っているのかと思ったんですが、どうもそうじゃない。もじもじしている。なんか、脇にある机の端をひっぱったり、演説原稿をいじったり。五〇秒ぐらい黙ってるんです。で、それからやっと、もそもそと話しはじめる。「ドイツ国民、ならびに同志諸君……」としゃべり出すんです。

それからあとは、シュペールやゲッベルスが言っているようにどんどん高潮していくんですが、最初の五〇秒も黙っているところが、ぼくにはとても印象的だった、面白かった。

やっと話しはじめたところなんか、口べたで、何を言ってるんだかわからないみたいな感じです。それがやがて、自分のなかにある考え方に言葉の火がついたとたん、あとはもう言葉がとめどなく飛び出してくるという感じ。口がうまいからしゃべってるんじゃない、私の心情がいやでもこう語らせているんだというイメージづくりですね。こんな芸当は、だれにもできないんじゃないでしょうか。ま、論より証拠、機会があったらぜひ映像で見てください。すごさがわかります。

ただし、話の中身は、二時間をこす演説だというのに、たいしたことは言っていない。単純なことを、しつこく繰り返すだけ。が、〝単純化と反復〟――これこそが大衆説得のコツだということを、彼は知り抜いてしゃべっているんですね。

と同時に、紅潮してくると、身ぶりがまたすごい。このヒットラーの演説の身ぶりについては、ナチの副総統だったルドルフ・ヘスが、獄中記のなかでこういうふうに言っています。

総統は、小さな点にまでこだわりながらリハーサルをやるので、そりゃたいへんな騒ぎだったよ。彼は人を魅了する演説家だった。彼は聴衆の心をゆさぶり、彼らの心を掌中に収めた。彼の文章力についてはそれほどいうことはないが、演説となるとアドルフ・ヒトラーほど聴衆に印象を与えることのできる人物はいなかったね。

（ユージン・ハード、笹尾久・加地永都子訳『囚人ルドルフ・ヘス』出帆社）

ヒトラーは、「演説が私の生活そのものだった」と言っています。これは誇張ではありません。彼の生活は、演説に明け、演説に暮れている。「ヒトラーは演説の力ひとつで、おそるべき内部分裂に悩んでいたドイツ国民をひとつに統一した」と言った人がいるくらい、彼は演説をぶちつづけました。で、その演説の前には、いつもしつこいくらいリハーサルをやったらしい。とくに、身ぶりの練習に熱心だったそうです。親しい写真家にいろいろ写真をとらせ、それを見ながら自分のポーズを工夫したと言われています。「身ぶりも言葉である」ということを、彼はちゃんと知っていたに違いありません。で、激しい身ぶりが言葉のヴォルテージをあげる、あるいは、からだのなかから言葉を引っ張り出してくる、そういう働きがあることを彼は知っていたのでしょう。身ぶりというのは、それ自身、一つの言葉ですが、それは言葉以前の言葉、言葉になる前の言葉、と言えばいいか、そういう原始的な言葉なんですね。それだけに、相手の感情にじかに届いていく強さがある。そのへんのことを、ヒトラーはうまく利用しながら、彼の演説術を練り上げていったんじゃな

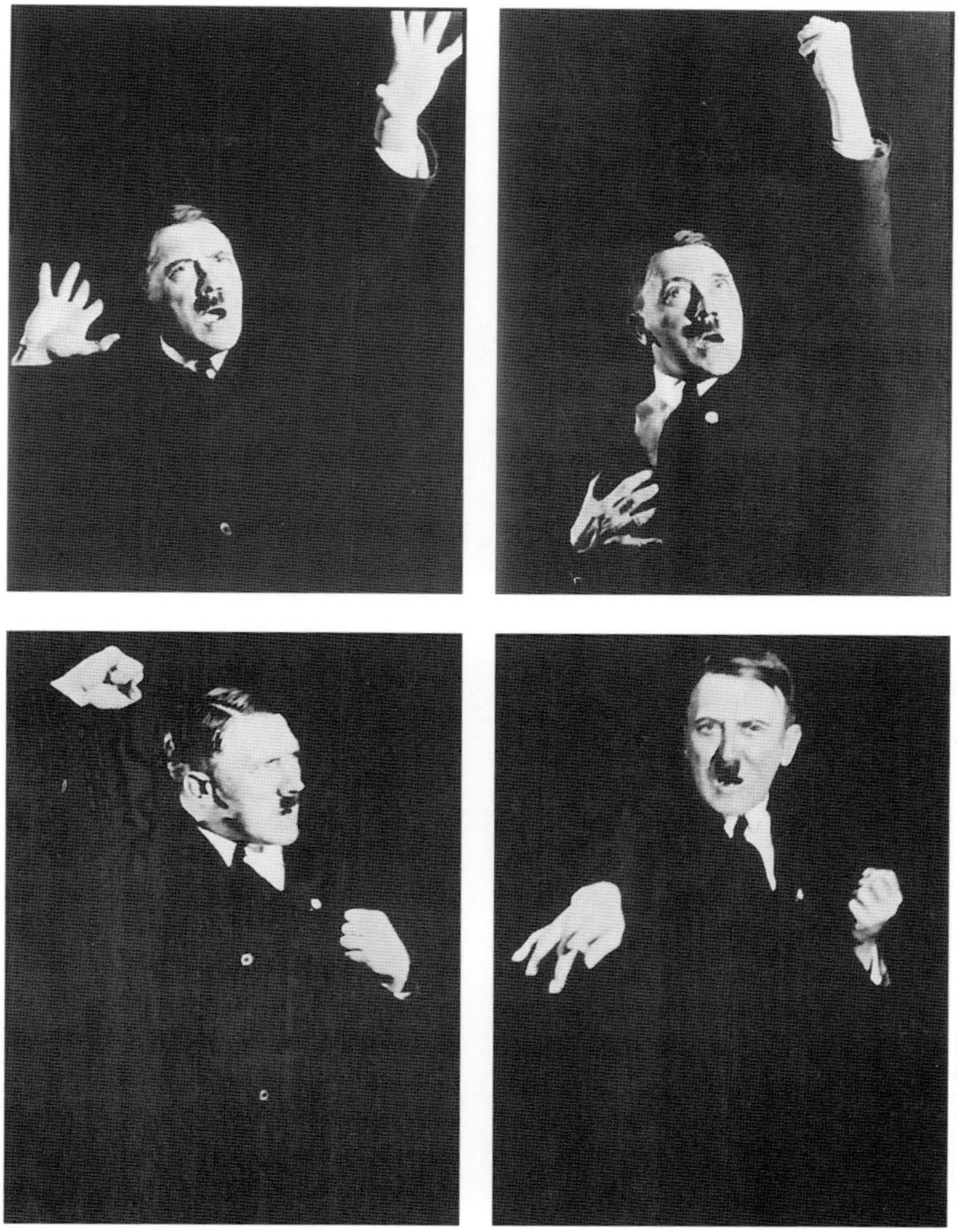

図 19　身ぶりのリハーサルをするヒトラー

いかと思います。

と同時に、自分の演説を拡大するメディアとして、彼はラジオを強引に普及させました。世界で最初にラジオ放送が現れたのは一九二〇年のことですから、ヒトラーが政権をとったころはまだそんなに普及していなかったと思いますが、そういう時代に彼は国策としてラジオ受信機をどんどん作らせ、安い値段で普及させました。それを通して自分の演説を、まさにブロードキャストしてい

図 20　国民ラジオの普及を進めるポスター（1936 年）

ったわけです。ついでに言うと、ラジオはマクルーハンの言う〝ホット〟なメディアなんですね。人びとをホットにさせやすいというか、熱狂させやすいメディアなんです。「もしヒトラーの時代にテレビがあったら、ヒトラーなどはどこかの小男がオーバーに騒ぎ立てているようにしか見えなかったろう」ともマクルーハンは言っていますが、その点ラジオは、彼にとって最強の武器だったと言えるでしょう。

〝声〟というメディア

それにしても、ヒトラーの演説は〝うまい〟というだけではありませんでした。確かにうまいんですが、うまいというだけなら、ゲッベルスのほうがうまかったかも知れません。でもヒトラーには、うまいということの上に「プラスα」があった。その「プラスα」とは、なんだったのか。そして、それはどこからきたのか。アラン・ワイクスという人は、それをこんなふうに言っています。

彼の演説に耳をかたむける何千もの聴衆のあいだには、この〝救済者〟にたいして一種の宗教的な崇拝な念がひろまった。ヒトラーが演説するにつれて、聴衆のあいだに一種のヒステリ

(病的興奮)現象がうまれた。この現象は、ヒトラー自身が指摘してるように、自然発生的にうまれてくるものではなく、〝あらゆる人間の弱点をこまかく計算した戦術で成功の確率まちがいなし〟というものであった。

(渡辺修訳『ヒトラー』サンケイ新聞社)

これを別の言い方で言うと、宗教的法悦というんでしょうか。そういうものが彼の演説のなかにあったと言うワイクスは、さらにこうも言っています。

ヒトラーは、言葉を男根にしたてて、大衆を強姦した。エッカルトが指導者のタイプとして描いた像は、偶然にも正しかった。「指導者は独身でなければならない。そうすれば、女を味方にひきいれることができるだろう」。ヒトラーにとって、大衆はまさしく女だった。ヒトラーの演説ぶりについて、下品な冗談がいくつかある。ヒトラーが大演説をぶった後は〝びしょぬれ〟になる、といったようなものだ。演説のさいにドンチャンさわぎに酔ったような恍惚状態になることは事実であった。

(同前)

説明するまでもありませんが、そこには性的なエクスタシーがあったということですね。で、法悦も恍惚も、根っこのところでは同じようなものですから、この二つは二つで一つのものだと見てもいいでしょう。

では、こういう恍惚感は、いったいどこからくるのか。演説の中身でしょうか。違います。演説の中身じゃなくて、〝声〟です。中身がメッセージだとすると、声というのは話を運ぶメディアですが、そのメディア自体からある恍惚感がひき起こされる、と言っていい。それがいちばんよくわかっていたのは、実はヒトラー自身だったのではないか。彼は、著書の『我が闘争』のなかでこう言っています。

今日、文筆にたずさわる騎士やうぬぼれ屋はみんな、次のことをよく覚えておいてほしい。すなわちこの世界における最も偉大な革命は、決してガチョウの羽ペンで導かれたものではない、ということを。

否、ペンにはつねに革命を理論的に基礎づけることだけが残されている。

だが、宗教的、政治的方法での偉大な歴史的なだれを起こした力は、永遠の昔から語られることばの魔力だけだった。

おおぜいの民衆はなによりもまず、つねに演説の力のみが土台となっている。そして偉大な運動はすべて大衆運動であり、人間的情熱と精神的感受性の火山の爆発であり、困窮の残忍な女神によってかきたてられたか、大衆のもとに投げこまれたことばの放火用炬火によって扇動されたかであり、美を論ずる文士やサロンの英雄のレモン水のような心情吐露によってではないのである。

（平野一郎・高柳茂訳、角川文庫）

これはすごい。「宗教的、政治的方法での偉大な歴史的なだれを起こした力は、永遠の昔から語られることばの魔力だけだ」という部分が、特にすごい。大衆を動かすのは、書き言葉じゃない、大昔から、話し言葉だけが大衆を動かしてきたんだというわけですね。そして、まさに彼はこの言葉通り、彼の話し言葉によって、その音声の魔術によって、第二次世界大戦の引き金となる大なだれを起こしたのでした。

説得と扇動

演説では、何が言われたかよりも、それがどう言われたかのほうが、ずっと大きな力を持っていることを、ヒトラーは知り抜いていました。げんに、第二次世界大戦の火をつけた、ヒトラーのポーランド進攻演説というのを読んでみると、オーバーな言葉が並んでいるだけで、たいした説得力はありません。が、その演説の録音を聞いてみると、雑音の多い古い録音のなかから、まるで勇壮な太鼓の響きのように、彼の声が流れ出てくる。そこで言われている演説の中身よりも、そのリズミカルな響きに心をゆさぶられてしまうような、そんな感じがしてきます。

当時の政治家で、演説の名手として知られていたのは、イギリスの首相ウィンストン・チャーチルですが、中身を淡々と聞かせていくチャーチルの話法よりも、ヒトラーの演説のほうが、ずっと強い。チャーチルの演説が〝説得的〟だとすれば、ヒトラーの演説は〝感化的〟というか〝扇情的〟というか、言葉の魔力の大きさをいやおうなく感じさせるものがあります。

大衆を動かすためのこうした手法は、ヒトラーほど巧妙ではなかったにしても、昔から頭のいい連中はみんなそうやってきた。これはフィクションですが、たとえばシェイクスピアも「ジュリアス・シーザー」のなかで、理性的説得と感化的扇動の対比をいきいきと描いています。ブルータスたちが、シーザーを暗殺しますね。そのシーザーを暗殺したブルータスが、ローマ市民の前で、なぜ自分が愛するシーザーを殺さなければならなかったのかを、筋道立てて説明する。はじめはブルータスのことを謀反人だと思っていた市民たちも、国を思うブルータスの主張があまりに理詰めで正しいので、「ブルータスは高潔の人だ、ブルータス万歳」と叫び出す。ところが、その後で、シーザーに可愛がられていて、暗殺にも加わらなかったアントニーが、自分にも追悼の言葉を言わせてくれ、決して君たちを批判なんかしないからと、ブルータスに頼む。で、その演説のなかでアントニーは、ブルータスは高潔の人だ、彼のしたことは正しいことだと言いながら、しかしシーザーは偉大だった、いかに彼がローマ市民のことを考えていたかということを、具体的な例を交えながら、巧みに繰り返していく。それはちっとも論理的じゃない、お涙ちょうだい式の演説なんですが、それを聞いているうちに市民たちは熱に浮かされるように「そうだ、アントニーの言う通りだ、シーザーは偉大だった、ブルータスは裏切り者だ！」と叫び出して、ついに暴徒と化していく……。

この芝居を見ると、いつの時代にも大衆を動かすのは理詰めの説得じゃない、感化的な扇動なんだということがよくわかりますが、それをヒトラーは芝居ではなく、現実の世界でやってしまった、ということになるんでしょうか。

こういうやり方を別の言葉で言えば、〝マインド・コントロール〟ということになります。そういうものにひっかかってはいけないと言うのは簡単ですが、だからと言って、マインド・コントロールと言うものを、世の中からまったくなくしてしまうことはできません。第一、マインド・コントロールというのは、いいとか悪いとかいうことを越えたものなんですね。これは、精神分析学者の岸田秀さんの説ですが、だいたいコントロールされていないマインドなんてものはない。何かにコントロールされることで、モワッとしたもののなかからマインドというものが形成されてくる。

〝にぎられていないおにぎり〟なんていうものはないんですね。にぎられてはじめておにぎりになる。それと同じように意識というものも何かにコントロールされてマインドになるわけです。つまり、人間というのは、マインド・コントロールから、どうやっても逃げることはできない。それはいつも、あらゆるところから、私たちに影響を与え続けているものなんですね。学校の教育もそうだし、親のしつけもそう。小説を読んでも、それはどこかで私たちのマインドに働きかけているし、映画やテレビを見ているときもそうです。

だから問題は、マインド・コントロールそのものがいいとか悪いとかじゃない。人間というのは、つねにマインド・コントロールされつづけている生き物なんだということを自覚することで、マインド・コントロールしてくる対象となるべく距離をとるようにする。それが大切なことだと思います。ですから、きょうのぼくの話も、あんまりまともに受け取らないほうがいい。マユツバだと思いながら聞いたほうがいい。あいつ、また私たちをひっかけようとしているなと、笑いながら聞いてもらうのが、いちばんいい聞き方なんじゃないでしょうか。

第六講　スモカ歯磨——差異化のパイオニア

スモカ歯磨の広告(1938年)

新しい時代の広告術

片岡敏郎という人がいました。大正から昭和の初期(一九二〇年代から三〇年代)にかけて、すばらしい広告を書きつづけました。この人の手にかかると、どんな商品も広告のなかで生き生きと息づいて見えた。ショーウィンドーのなかに麗々しく飾られ窒息しそうになっている商品を、この人は、町の新鮮な空気のなかに引っぱり出す名人でした。

日本の天才的なコピーライターと言えば、なんと言っても、第一号は平賀源内です。その後、山東京伝や式亭三馬といった戯作者たちの活躍で、江戸の広告は隆盛をきわめましたが、それも明治維新でほとんど崩れ去ってしまう。明治元年(一八六八)にはビールや牛肉屋が、二年には散髪屋や新聞が、三年には牛乳屋や自転車が登場するといった調子で、日本人がいままで見たことも聞いたこともないようなものがどっと押し寄せてくるわけですから、広告はセンスを競い合うなんてことより、新製品・新生活の告知や啓蒙に追われることになってしまいます。

広告の受け手もガラッと変わりました。それまでは、文化的にも洗練された江戸や上方の町人が相手だったのに、明治以降は全国民が対象になっていくわけで、当然、広告表現のレベルも落とさなきゃいけないし、西洋の文明を売るには西洋風の言い方もしなきゃいけなくなってきます。

「電灯を危む者は我社に来て其惑を解け」(品川電灯会社、一八九一年)

「頭脳の不完全なる者は馬鹿であります」(快脳丸、一八九二年)

こんな調子の広告が、やたら増えてくるんですね。それはそれで、いまから見ればたいへん面白いんですが、そこにはやっぱり、江戸の洗練はない。

それが大正期になると、かなり状況が変わってきます。西欧的なものと日本的なものの関係が、かなりこなれてくる。それに、大衆の生活も少しは豊かになり、大衆文化も江戸なみのレベルに近づいてきます。となると、「頭脳の不完全なるものは馬鹿であります」なんて広告じゃ通用しなくなってくる。かと言って、いまさら「トウザイトウザイ」の口上に戻ることもできないわけで、新しい時代の広告術が、広告センスが、必要になってきます。カッコよく言えば、江戸の戯作者たちが完成させた広告話法と、文明開化以降の啓蒙的な広告話法を、生き生きと総合化していくような作業が必要な時期になってきたということです。

つい道草を食ってしまいましたが、その総合化をみごとにやってのけたのが、片岡敏郎という人だとぼくは思っています。「この人のことを考えると、広告をつくるのが嫌になってしまうし、また、考えようによっては、こういう先輩がいたからこそ広告の仕事に打ちこめたのだともいえる」と、サントリーの宣伝部にいて広告を書いていたことのある作家の山口瞳さんが言っていましたが、まさに片岡敏郎という人は、平賀源内の次に現れた日本の天才コピーライターであり、同時に、日本における近代広告作法の開祖だと言っていいでしょう。

この人は、一八八二年(明治一五)に生まれ、一九四五年(昭和二〇)に亡くなっています。泉鏡花

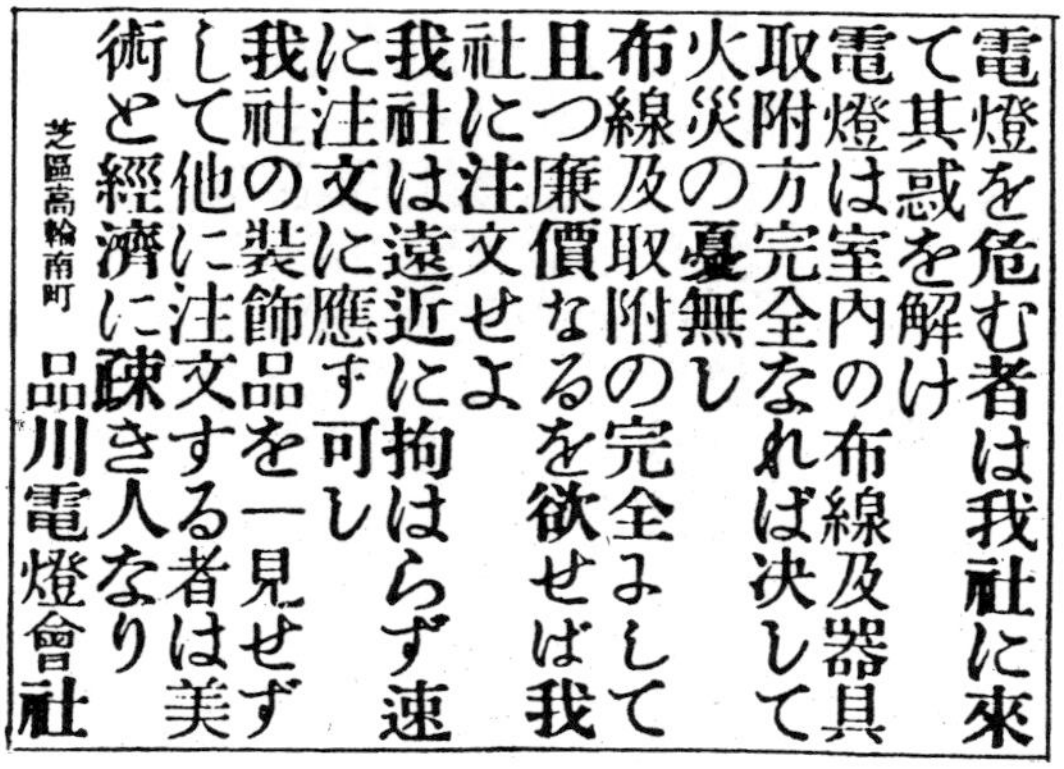

電燈を危む者は我社に來て其惑を解け
電燈は室内の布線及器具取附方完全なれば決して火災の憂無し
布線及取附の完全にして且つ廉價なるを欲せば我社に注文せよ
我社は遠近に拘はらず速に注文に應ず可し
我社の裝飾品を一見せずして他に注文する者は美術と經濟に疎き人なり
芝區高輪南町
品川電燈會社

図21　品川電灯社の広告(1891年〔明治24〕)

に弟子入りしたり、シャム（タイ）に渡航したりしてから、一九一三年（大正二）に日本電報通信社（いまの電通）に入っている。つまり、広告の世界に入ったのは三〇過ぎてからということになるんですが、その後、電通から森永製菓に移って、とつぜん、ヒット広告を連打しはじめる。横綱・太刀山の大きな手形に、「天下無敵 森永ミルクキャラメル」という文字を白く抜いた新聞広告（一九一八年）なんかは、いま見てもすごい広告だと思います。

で、その力量を買われて、一九一九年（大正八）には、壽屋（いまのサントリー）に広告部長として招かれるのですが、ここで彼は、オラガビールとか赤玉ポートワインの名広告を、続々と世に送り出しました。

▼「出たオラガビール　飲めオラガビール」

▼「オラガビール　もう工場を出て　今や御宅の付近にあり」

▼「御家族は七人でしたナ　どなたも御病人はありませんね　ハハー　赤玉ポートワインを常用しているから皆元気ですって　なるほど　イヤ結構です」

▼「毒けしはようござんすかネ　毒けしはマアようござんす　赤玉ポートワインをのんでますからネ」

▼「不景気か？　不景気だ！　赤玉ポートワインを飲んでるかネ？　飲んでない！　そうだろう！」

とくにこの「不景気か？」という一九三〇年(昭和五)の広告が、ぼくは大好きです。「不景気」という言葉ではじまるだけでも広告としてはすごいのに、商品の赤玉ポートワインを「飲んでない！」なんて、堂々と言ってのけている。これには驚きました。が、それで終わってしまったら広告にはならないわけで、最後に「そうだろう！」という一行を入れることで、みごとな広告にして

図22 片岡敏郎と，デザイナーであり画家でもあった井上木它による赤玉ポートワインのポスター(1922年〔大正11〕)

いる。「そうだろう！」ということに、「そうだよなあ、こう不景気じゃ、酒も飲めないよなあ、でも、毎日こうやってがんばってるんだし、せめて酒くらいは飲みたいよなあ」という庶民の嘆きとも怒りともつかぬ気持ちがこめられているような感じがして、広告がスッと立ち上がってくるんですね。

リアリストの目

このほかにも片岡は、赤玉ポートワインの広告で、日本で初のヌードポスターをつくったりして話題をまきつづけましたが、なんと言ってもこの人の代表作は、スモカ歯磨の広告です。一九二五年(大正一四)から一六年間に約一二〇〇点。だいたいハガキくらいのサイズの小さな広告ですが、これが一つとして駄作がない。一〇〇〇点以上も作品を書いて、一つとして駄作がないなんて、まるでバッハみたいな人ですが、とにかく、その一部をご紹介しましょう。

▼「永らくアチラに居りました　英語？　少しは行けますよ　まづお早うがグットモーネン　手拭がタオ　楊子がブラシ　歯磨はスモカ！　エース歯磨はスモカ！」

▼「スモカで磨いた三日目の　朝はわざわざ吃って見せて　旦那！　お歯お歯お早う！」
▼「ナニかといへばスグ歯をムキ出して『コウ！　スモカの歯でい』」
▼「なんとまア　おきれいなお歯…と逢ふ人ごとにほめられて　スモカ使うの　わたしもういやッ！」
▼「街は北風待ち人来ない　ウヰンドグラスにイイして見たら　なんぼなんでもこの歯の色でスモカ使はで顔合はさりょか」
▼「足下試みに鏡を取りて強くヒッと発音せよ　そこにはいと醜き足下の歯あるを見出すであろう　そしてスモカを用ふるの遅かりしを　足下思はずチッと発音するに至るであろうよ」
▼「スモカがフモカに聞へる歯なら尚さらフモカでフグ磨け」
▼「吸ったタバコのニコチンで　腹は黒いが歯は白い　スモカ仕立の男前　ムハ　ムハハハハハ」

これはもう、説明なんかいらない面白さで、だから説明するのは気が進まないのですが、野暮を承知で言ってしまえば、「歯を白くする」という商品特性の一点にピシッと即しながら、その上でみごとな言葉の曲芸を演じてみせる、その曲芸の面白さですね。

たとえばこれを、「白い歯でいつもさわやか健康家族」なんていうヘタなコピーとくらべてみれば、その違いがすぐわかるハズです。簡単に言ってしまうと、「白い歯でいつもさわやか健康家族」というのは、商品の上にベタッと〝面〟でくっついているというか、寝そべっているようなものですが、それに対して片岡敏郎のコピーは、商品にきわどく〝点〟でくっついている。仮に商品を一つの正三角形で表すと、片岡の広告は、その上に逆立ちしているもう一つの正三角形みたいなものだと言っていいんじゃないでしょうか。つまり、商品と一点でしっかりくっついてさえいれば、広告は思いっきり自由に飛び上がったり逆立ちをしたり、面白い芸を見せてくれたほうがいい。片岡の広告は、いつもそんな芸で、見る人たちを楽しませてくれたのではないかと思います。

それにしても、この人は、人間をよく見ていますね。

「なんとまアおきれいなお歯…と逢ふ人ごとにほめられて　スモカ使うの　わたしもういやッ！」

なんて、ほんとうにニクイ。女の子としては、どうせホメられるなら、「お肌がきれい」とか「目が大きい」とか、器量をホメてもらいたいじゃないですか。が、この子はどうもホメるところがない。ただ一点だけ、歯がとてもきれいなので、みんな「おきれいなお歯ね」なんて、歯ばっかりホメる。「こんなことなら、もうスモカなんかで歯を磨かない！」とベソをかいている女の子の心情が、痛いように、でもユーモラスに伝わってくるような気がします。

こんなふうに、人間の感情のヒダの奥まで、この人は見通す目を持っていました。それも、ちょっぴりシニカルに見ているというか、批評的な目で、キチッと見ている。決して冷たい目ではない

図 23 スモカ歯磨の広告，右上から 1935 年，1940 年，1933 年

けれど、かと言って情緒的な目でもない。リアリストの目です。リアリストの目で、人間を、人間のいかがわしさやおかしさを、キチッと見ている。

そして、ここがとても肝心なところですが、それと同じ目で、商品をもキチッと見ているんですね。売り手の立場だけからじゃない、町の人びとのなかに入っていって、そこから商品を見ている。リアリストの目でちゃんと見ているんです。

このスモカの広告は、月に二、三回のペースで新聞にのったのですが、新聞一ページを使った競合商品の大型広告に、少しもヒケをとらなかった。それどころか、読者にたいへん親しまれて、何かの都合で広告がちょっと出なかったりすると、「どうしたんだ」「次はいつ出るのか」といった問い合わせがかなりあったそうです。

ちなみに、片岡敏郎という人はたいへん趣味が広くて、深くて、なんでも一級品を愛したそうです。そのせいでしょうか、スモカの広告のカットを描いている人たちも、石井鶴三、前川千帆、井上木它、顔水龍、池田永一治……といったソーソーたる人たちだった。こういう人たちに自由に絵を描いてもらって、その絵に合わせながら、片岡は、一つひとつ、手づくりのコピーを書きつづけたのです。

その片岡敏郎も、戦争の色が次第に濃くなり、商業広告が出しにくい世の中になってくると、いや気がさしたのでしょうか、一九四一年(昭和一六)に仕事をいっさいやめ、山のなかに引っこんでしまいました。

その後、新聞や雑誌の広告は、「進め一億火の玉だ」「ぜいたくは敵だ」「欲しがりません、勝つまでは」といった、政治広告一色の時代に入っていく。思えば、商業広告が、町に、マスコミに、にぎやかにハンランしているときというのは、平和で、とてもいい時代なんですね。

差異化とは何か

差異化競争は、さまざまな産業界の競争のなかでも、最も二〇世紀的なものの一つです。差異化。Differentiation.「広告という仕事は“make the difference”違いをつくることだ」と、広告の教科書にはたいてい書いてあります。

産業が発展途上の段階で、需要に供給が追いつかないときには、商品のあいだの差異なんてことは問題になりません。歯を磨くには歯磨さえあればいいのであって、ライオン歯磨か資生堂歯磨かといったことは二の次です。そういう場合のマーケットは、乾いたスポンジみたいなもので、上から水道の水みたいに商品がポトポト落ちてきても、たちまち吸い込んでしまう。

ところが、生産体制が整ってどんどん水が出てくるようになると、乾いていたスポンジもやがてビショビショになってしまう。飽和状態になるというか、供給が需要を上まわってくるわけですね。そうなると、ビジネスは、マーケットをつくる時代から、マーケット・シェアを奪い合う時代に移っていく。そんなマーケット・シェア競争の最大の武器が商品の差異化戦略ということになります。「歯磨は歯磨でも、そんじょそこらの歯磨とはここがちょっと違うよ」と、競争商品との差異を強調し、自分の商品を売りこんでいこうとするわけです。マーシャルやスィージーのような経済学者は、市場をつくる広告を〝建設的広告〟、マーケット・シェアを取り合う広告を〝競争広告〟と呼んで、社会にとって前者は有用だが後者は浪費的だと批判しました。

ま、それはともかく、消費社会の成熟は、必然的に差異化競争を生み、それをエスカレートする。そのいちばん単純なものは、価格の差異化です。「三割、四割引きは当たり前!」と叫ぶディスカウントストアのテレビコマーシャルがありましたが、いまの世の中では、価格競争は成り立ちません。他の店もすぐ追随して、「三割、四割引きは当たり前」になってしまうからです。

次の段階は、品質・性能の差異化競争です。たとえば、一九六〇年代のなかごろに、「雑誌が七冊持ち上がる!」という電気掃除機のテレビコマーシャルがありました。分厚い婦人雑誌を七冊ひもでくくって、それに掃除機の吸い取り口を当てて持ち上げてみせるという広告です。と、数カ月後に、競争会社が「うちのは九冊持ち上がる!」という広告を出した。吸塵力という掃除機の性能で差異化をはかったわけですね。

が、技術の高度化は平準化を生みますから、こういう競争もすぐに成り立たなくなってくる。どのメーカーの掃除機も、同じ値段のクラスのものなら、みんな「一〇冊持ち上がる！」というレベルでそろってしまうんですね。

げんに、日本の場合、品質・性能の差異化競争は、一九六〇年代の終わりころには、ほとんどの業種で行きづまってしまいます。が、だからと言って、簡単に差異化をやめるわけにはいきません。で、このあとは、針小棒大の差異なんてもんじゃない、数字では表せない差異や、差異とは言えない差異の競争に、どんどんなだれこんでいく。そのころアメリカでも、ある航空会社が自社の飛行機の機体にサイケデリックな彩色をして、それを売り物にした例もありました。差のないものの差で商品を売る。ある意味で、これはきわめて二〇世紀的な現象と言えるんじゃないでしょうか。たとえば、コカ・コーラとペプシ・コーラの差異、キンチョールとアースの差異、同じ路線の日本航空と全日空の差異を、どうつくり出すかといったことが、そこでのテーマになる。そこでは、広告はもう、初期の告知機能はほとんど失ってしまう。で、詐術的な差異化作戦で消費者の欲望を操作していく機能だけが、異常なまでに肥大していくんですね。

が、そんな差異化のドロ沼から抜け出す動きが、一九八〇年代には見えてきました。個別の商品やサービスにしがみついていた差異化から、全体的なブランドのイメージで差異化するといった動きがそれです。一九八二年に西武百貨店が出した「おいしい生活」あたりがそのハシリと言っていいかも知れません。糸井重里さんが書いたそのコピーは、モノの価値にタテの序列なんかはない、すべてのモノはヨコ並びであって、そのなかからそのときどきの「好き嫌い」で、モノを選んでいけばいいじゃないかと言った。「豊かな生活」の価値観から自由になって、人それぞれに自分流の「おいしい生活」をしていこうよ、というわけです。

そこには個々の商品の差異化はない。むしろ放棄されている。で、そういう主張をする百貨店としてのブランドの差異化が行われていると言っていいでしょう。同じように、サントリーはサントリーというブランドの、キンチョーはキンチョーというブランドの差異化をはかる。以前からも、そういう考えや試みはありましたが、〝品質・性能の差異化〟から〝ブランドの差異化〟へという流れがはっきり意識化されるようになったのは、この時期からだったと思います。

ところで、ブランドの差異化というのは、堅苦しく言えば、その企業の独自の思想や哲学を表現することでしょうが、実際には、その企業ならではの〝らしさ〟を表現するということになります。そこでは、その企業がつくっている個々の商品のイメージも重要ですが、そのトータルなブランド・イメージを表現する広告のセンスも、大きくかかわってくる。そういう点で、差異化競争のテーマは、〝価格の差異化〟から〝品質・性能の差異化〟を経て〝ブランドイメージの差異化〟へ、そしてその差異をはかるモノサシは、〝安い高い〟をはかるモノサシから〝いい悪い〟をはかるモノサシを経て〝好き嫌い〟をはかるモノサシへ変わって行った、とぼくは思っています。大きな流れとして言えば、企業技術の差異化から企業文化の差異化へ変わって行ったということになるでしょうか。

センスで差異化する

スモカ歯磨は、「タバコのヤニをとって歯を白くする」という一点に差異化競争のポイントをしぼって、大メーカーのつくるライオン歯磨やクラブ歯磨に対抗しました。ライオン歯磨にもクラブ歯磨にも、歯を白くする成分はもちろん入っているのですが、先にそれを強調したものが勝ちです。しかも、タバコのヤニをとるという商品の効能イメージに合わせて、スモカ歯磨をタバコ屋で売るという思い切った販売方法をとりました。これは商品イメージの差異化であると同時に、販売戦略上の差異化でもあります。

それだけではありません。前にも紹介したように、スモカ歯磨の広告は、大メーカーの大型広告に対して、小スペースの手づくり広告をぶっつけた。これも、みごとな差異化戦術です。と同時に、スペースのサイズだけでなく、その表現のセンスで、みごとに差異化をはかっている。商品が似たり寄ったりなら、売り言葉の面白いほうから買ってやろうというのが大衆の心情でしょう。売り口上の面白いほうから、投げ銭がわりに買ってやるようなものですね。

片岡敏郎がせっせと広告をつくっていたころには、差異化なんて言葉はなかったし、マーケティングという言葉もありませんでした。が、彼はみごとに、そのお手本を残しているんですね。

最後にもう少し、彼が書いたスモカのコピーを、おまけにつけておきます。

▼「サテ歯みがきはライオンクラブ仁丹なぞのあるなかへ　莨のノミ手にゃ此歯磨と　烏滸がましくも名乗り出て　今じゃキキメで売出しの　ちゃきちゃきちゃきの…カッカッカッ」

▼「広告だわサ　兎角に物を否定する…世慣れた人の歯は黒い！　さほど世慣れはせぬまでもスモカ使へば歯は白い」

▼「ケチと経済　少々違う　取るものは取るがいい　出すものは出すがいい　烟草すきなら吸うがいい　付けた歯の脂取るがいい」

▼「あの火の見のとこに村役場がありますそこに莨屋がありますスモカもあります。」

▼「分別は　後に廻って頭を光らし前に廻って歯を白くする」

▼「女は女らしくしなはれや　と　云ふ口の　歯も歯らしうしなはれや」

▼「大日本朝風呂聯盟御指定品」

▼「甘い辛いはお好み次第　白い黒いは歯磨次第！」

▼「ヒニイチシキリの発音で歯の表が暴露し　ハワアサカナラの音声で歯の裏の暗黒面が見透かされる　況んや　今頃は半七つあんのヒの場合に於てをや　これ使はいで　スモカスモカ」

▼「広告より効く」

第七講　フォルクスワーゲン——裏返しのステータス

フォルクスワーゲンの広告「小さいことはいいことだ」(1962年)

アメリカ文化へのカウンター・パンチ

二匹の白いウサギが、からだを寄せ合い、鼻をひくひくさせながら、こっちを見ている。

一九四九年には、アメリカにはフォルクスワーゲンは二台しかありませんでした。

一九七〇年にフォルクスワーゲン(以下、VW)が出したテレビコマーシャルです。この時期には、VWのアメリカでの年間販売台数は五〇万台くらいになっていますから、すごい増殖ぶりだと言っていいでしょう。

VWのアメリカでの広告活動は、一九五九年から始まりました。で、雑誌とテレビを使って展開されたその広告キャンペーンは、戦後の広告史上最高のキャンペーンとして、いまも高く評価されています。商品の売り上げを大きく伸ばしたということももちろんありますが、なんと言ってもすごいのは、その表現の質の高さです。これには、世界中の広告マンのだれもが息をのみました。

広告を手がけたのは、DDB(ドイル・デーン・バーンバック)という、アメリカでは中クラスの規模の広告代理店です。規模こそ決して大きくはありませんが、ウイリアム・バーンバックというコピーライター出身の社長のもと、有能な広告制作者をたくさんそろえたユニークな代理店で、VWのほかにもすぐれた広告を数多く制作しています。全米で、というよりも世界で最もクリエーティブな広告代理店と言ってまちがいありません。

それにしても、VWのこの広告キャンペーンは、たいへんなヒットとなりました。その理由はいろいろ考えられますが、ひとことで言えば、アメリカ社会のクルマづくりやクルマ選びに、強烈なカウンター・パンチを浴びせたところにある、とぼくは思っています。

当時のアメリカの自動車産業は、差異化戦略の泥沼のなかで、大型化とデラックス化の競争に明け暮れていました。そのころのアメリカの雑誌を見ればよくわかりますが、クルマの広告と言えば、朝焼けか夕焼けの大自然のなかにおかれたピカピカのクルマ、そのそばに寄り添って立つカッコいい男女、といったスタイルのものが圧倒的に多い。自分の豊かさを誇示する道具としてのクルマが、そこにはさまざまなイメージをくっつけて描かれていたと言っていいでしょう。

そんななかへ、VWは、「小さいことはいいことだ」(Think small)とか、「カッコは悪いけどちゃんと運んでくれます」(It's ugly, but it gets you there)とか、あっと驚く広告をかかげて飛び込んできたのです。

あれこれ言う前に、ここはその広告のいくつかを見てもらうのがいちばんいい。印刷広告とテレビCMを、二点ずつ見てください(印刷広告の訳は、VWの広告を最初に日本に紹介した西尾忠久さんの著作を参照しました)。

▼印刷広告

〈小さいことはいいことだ〉

きっちりつめたら、ニューヨーク大学の一八人の学生がサンルーフVWに乗れました。VWは家庭向きに考えて大きさが決められています。お母さん、お父さん、それに育ち盛りの子供三人というのが、このクルマにふさわしい定員です。

経済走行で、VWは一ガロン当たり平均五〇マイル弱の記録を出しました。(中略)ガソリンはレギュラーです。またオイルのことは次の交換時期まで気にすることはありません。

VWは、ありきたりのクルマより、全長が四フィート短くできています(といってもレッグルームは同じくらいあります)。ほかのクルマが混雑したところをグルグルまわっているあいだに、あなたはほんのせまい場所にも駐車できるのです。

VWのスペア部品は格安です。新しいフロント・フェンダーは二一・七五ドル、シリンダー・ヘッドは一九・九五ドル。品質がいいのでめったに用はありませんが。

新しいVWセダンは一五六五ドル。ラジオ、サイドミラーなど、あなたが本当に必要なものは全部ついています。

一九五九年には、一二万人のアメリカ人が、小ささを考えてVWを買いました。ここのところを、考えてみてください。

〈不良品〉

このVWは船積みされませんでした。

車体の一か所のクロームがはがれ、しみになっているので取り替えなければならないのです。ほとんど目につくことがないようなものですが……クルト・クローナーという検査員が見つけたのです。

ウルフスブルグの工場では、三三八九人が一つの作業に当たっています。VWを生産工程ごとに検査するためです(日産三〇〇〇台ですからクルマより作業員のほうが多いのです)。

あらゆるショック・アブソーバーがテストされます。ウインド・シールドも、すべて検査されます。何台ものVWが肉眼では見えないような外装のかすり傷のために不合格となりました。

最終検査がまた格別です！　VWの検査員は一台ずつ車検台まで走らせて、一八九のチェックポイントを連れまわし、自動ブレーキスタンドに向けて放ちます。それで五〇台に一台のVWに〝NO〟を言うのです。

この細部にわたる準備が、他のクルマよりもVWを長持ちさせ、維持費を少なくさせるのです(中古のVWが他の中古車にくらべて高価な理由もこれです)。私たちは不良品をもぎとります。あなたは優良品をどうぞ。

図 24　フォルクスワーゲンの広告「不良品」(1960 年)

図 25　フォルクスワーゲンのテレビ広告「二軒の家」(1968 年)

▼テレビCM

〈二軒の家〉

(まったく同じツクリの二軒の家が並んでいる)

ジョーンズ氏とクランプラー氏は、お隣り同士です。二人とも三〇〇〇ドルずつ持っています。そのお金で、ジョーンズ氏は三〇〇〇ドルのクルマを買いました。

(ジョーンズ氏がクルマに乗って帰ってくる)

クランプラー氏はそのお金で、新しい冷蔵庫と、新しいガスレンジと、新しい洗濯機と、新しいステレオと、新しいテレビ二台と、その上に新しいVWを買いました。

（クランプラー氏の家に白衣のポーターたちが次々に品物を運び入れ、最後にクランプラー氏がVWに乗って帰ってくる。その様子を家の前でボーゼンと見守るジョーンズ氏。クランプラー氏はジョーンズ氏に軽く会釈して家に入って行く。ドアがバタンと閉まる）

ジョーンズ氏はいま、お隣りさんに生活レベルを合わせなければいけないという大問題をかかえこんでいます。

〈オートショー〉

（モノクロ。ひとむかし前のオートショーの会場。それぞれに趣向をこらした各メーカーのコーナーをカメラが順に追っていく）

司会者風の男「さあ、一九四九年の自動車ショーの花形、未来のクルマ、デソートの新車GA、これです！」

コンパニオン風の女「ファッション界の次の流行はロングスカート。クルマの次の流行はスチュードベーカーです」

白衣の技術者風「来年のアメリカ車には、サイドに、こういう穴があくことになるでしょ

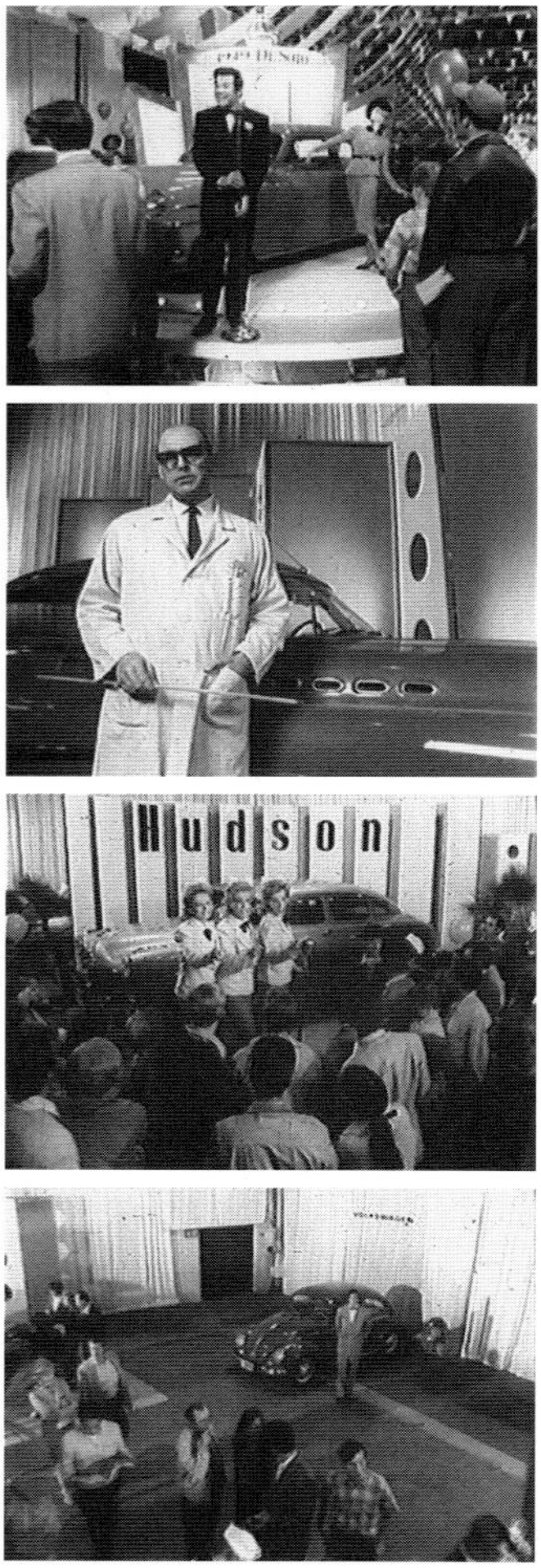

図 26　フォルクスワーゲンのテレビ広告「オートショー」(1970 年)

う」

中年の紳士風「長持ちするクルマを買おうと思ったら、お近くのパッカードの代理店へご連絡ください」

三人のコーラスガール「(歌う)寿命が長く、幅が広く、新しい、四九年型ハドソンはあなたのクルマ〜」

(一転、会場の隅でVWを前にボソボソしゃべっている男)

男「VWは、つねに改良され、実験され、洗練されてきました。形は一貫して変わりませんが……」

（カメラが引くと、VWのまわりには客が一人もいない。男の声も会場の騒音にかき消されていく……）

モノからイメージへ

「アメリカ人は四つの車輪を持った生き物である」

と、一九六四年にマクルーハンは言っています（栗原裕・河本仲聖訳『メディア論』みすず書房）。

そして、こうも言いました。

「アメリカの若者は、選挙権のある年齢に達することより、運転免許のとれる年齢に達することのほうをはるかに重視している」

「クルマはいまや一種の衣装となっており、これがないと都会では、何か頼りない、服を着ないまま出てきたような、何か忘れ物をしたような気持ちになる」

一九六四年と言えば、日本では東京オリンピックをきっかけに高速道路網の整備がはじまり、クルマが人びとの生活のなかに入りこもうとしている時期です。

「あなたに来た乗用車時代」(トヨタ、一九六一年)

とは言いながら、実際にはまだまだ〝夢のシンボル〟だったクルマが、以後一〇年のあいだに、さまざまなシンボルに分化して、暮らしのなかに浸透していきます。クルマの広告のキャッチフレーズでそれを追ってみると、シンボルの広がりが見えてくるんじゃないかという気がします。

▼「走る豪華な応接間」(日産：セドリック、一九六一年)
▼「ハイソサエティーのあなたを象徴する」(トヨタ：クラウン、一九六一年)
▼「パブリカがホーム・カーの標準サイズ」(トヨタ：パブリカ、一九六二年)
▼「日本の歴史を作られる方々の愛用車です。高級車ならセドリック」(日産：セドリック、一九六三年)
▼「わが家一家5人、コロナ1500ccで家路につく」(トヨタ：コロナ、一九六三年)
▼「パブリカのガソリン代は一日走ってダイコン二本分」(トヨタ：パブリカ、一九六五年)
▼「おばあちゃまもハイウエイにさそってください」(トヨタ：クラウン、一九六六年)
▼「時には男ひとりで」(いすず：ベレット、一九六六年)
▼「スラックスで街なかに出てみませんか」(日産：ブルーバード、一九六六年)
▼「〈ファミリーカー〉のトヨタと呼んでください」(トヨタ、一九六六年)

▼「ふたりが一台の自動車を持った日から」(トヨタ、一九六七年)
▼「なぜ、この男、にわかにモテはじめたのか？　カローラはあなたを変える！」(トヨタ：カローラ、一九六八年)
▼「白いクラウンは「男ざかり」にふさわしい車です」(トヨタ：クラウン、一九六八年)
▼「君たちは、車とともに生まれ、車の中で育った〈新しい日本人〉」(トヨタ、一九六八年)
▼「愛のスカイライン＝遠い旅に出かけよう」(日産：スカイライン、一九六九年)
▼「セドリックはダークスーツの似合う車だと思いこんでいるのは誰だ」(日産：セドリック、一九六九年)
▼「奥さま孝行はいかが？　〈ゆうゆう設計〉の運転席をときには奥さまにも——すてきなパパ・ママ〈マークⅡ夫妻〉」(トヨタ：マークⅡ、一九六九年)
▼「旅に出て差をつける——スカイライン」(日産：スカイライン、一九六九年)
▼「ダイナミックブルーバード、週末には大地の匂いを求めて車を駆る男がいる」(日産：ブルーバード、一九六九年)
▼「サニーがある、そこにドラマが生まれる」(日産：サニー、一九六九年)
▼「おしゃれ派なら個性を装備しよう」(トヨタ：マークⅡ、一九七〇年)
▼「新しいマークⅡで出かける……たまには二人だけで」(トヨタ：マークⅡ、一九七〇年)

▼「ハートのあるハード・トップ」(日産：スカイライン、一九七〇年)
▼「気になる男の気になる車」(トヨタ：カリーナ、一九七〇年)
▼「並木路がけむる。ブルーバードがある。心に残る男のクルマ」(日産：ブルーバード、一九七〇年)
▼隣の車が小さくみえます(日産：サニー、一九七〇年)

こんなふうに、ある人には「走る豪華な応接間」として、ある人には「時には男ひとりで」日常から脱出する装置として、ある人には「男ざかり」を引き立てる道具として、ある人には「にわかにモテはじめる」変身の触媒として、クルマは人びとの生活に同化していきます。そして、一九七〇年代には、日本でもクルマはマクルーハンの言う「一種の衣装」になっていきました。

〝自動車の父〟と言われたヘンリー・フォードが、こんなクルマ社会を見たら、さぞ嘆いたことでしょう。彼は、クルマは人や物をA点からB点へ運ぶモノであればいいと考えた人でした。ピューリタン的な資質を持った彼には、クルマのスタイルや色などはどうでもいいことで、げんに、T型フォードはすべて黒でした。彼の関心は、そんなどうでもいいことより、どうしたら技術的にすぐれたクルマをつくることができるか、その一点にあったのです。

が、T型フォードの大成功は、皮肉なことに、T型フォードでは満足できない人びとを、その人たちによる豊かな市場を、あれよあれよという間につくりだしてしまった。そしてヘンリー・フォードとは資質の面でも方法の面でも正反対の経営者が、クルマ市場を動かす主役としてのし上がってきたのです。リースマンは、『何のための豊かさ』(加藤秀俊訳、みすず書房)のなかでこう言っています。

この企業〔ゼネラル・モーターズ＝GM〕におけるいちばん中心的な地位は、もはや機械技術者でもなく、また、会計係でもなくなった。いちばん枢要な地位を占めるのはデザイナーなのである。自動車というものが、だんだんとつくるに易しく、売るにむずかしい商品となるにしたがって、その形や色彩といったものが、販売上の決定的な要因となってきた。その結果として、物としての自動車を、自動車の運命を左右するのは、技術者の仕事ではなく、自動車産業が〝スタイル部門〟と呼ぶ部門の手に移ってきたのである。〔GMのこの部門をつくった〕ハーリー・アールは、GMの副社長であり、そして副社長という地位を得た工業デザイナーは、彼をもって初めとする。アールは「自動車は見かけで売れる」という原則を、GMの政策として確立した人物だ。

フォードが一九二七年に発表したA型フォードは、実は、そんな市場の劇的な変化に、ヘンリー・フォードがしぶしぶ出した回答だったということもあるようです。GMのハーリー・アールという人は、一九二七年型のラサールを手はじめに、合計三二〇〇万台のクルマをデザインした人で、「今日、自動車というものは創造力を駆使してつくられた金属製の彫刻として祭り上げられるに至ったのだが、この事態をつくりだした人間は彼をおいて他にはない」(同前)と、リースマンは言っています。

クルマがさまざまなシンボルとして、とりわけステータス・シンボルとして、二〇世紀の地球上を走りまわるようになった出発点がここにあります。この場合の〝ステータス〟とは、単に階級とか身分のような地位を表すものだけでなく、その人が他人に〝そう思われたい〟〝そう見られたい〟イメージをも含んでいます。

大衆の生活を豊かにするための〝モノ〟を大量に作り出してきた二〇世紀は、その半ばにさしかかるころから、モノを〝モノ〟としてではなく、〝イメージ〟として売るようになります。人をA点からB点へ運ぶだけならクルマはT型フォードだけあればいいということにもなりますが、〝男らしさ〟や〝エレガンス〟や〝冒険心〟のイメージを運ぶには、それぞれに見合うクルマが要る。いや、クルマに限りません、これはほとんどの商品についても言えることです。そして、このイメージには、モノと違って、質量もなければ差異化の限界もない。生産者の欲望と消費者の欲望とが〝野合〟することで、大量生産と大量消費のサイクルは無限に拡大していくという〝パンドラの箱〟

を、二〇世紀は開けてしまったということになるでしょう。

〝リトルマン〟のクールなケンカ

激しい差異化競争に明け暮れるアメリカのクルマ社会に、あるいはクルマ社会に代表される二〇世紀的な消費社会に、VWの広告キャンペーンは痛烈な一撃を与えました。

「大きいことはいいことだ」「カッコいいことはいいことだ」と呪文のように繰り返すデトロイトの広告に、すっかり眠らされてしまっていた多くのアメリカ人に、「小さいことはいいことだ」「カッコ悪いことはいいことだ」と、VWの広告は気つけ薬を配って歩いたのです。

この広告キャンペーンのリーダーは、前にも言ったようにDDBのウイリアム・バーンバックです。アメリカ文化の研究者ジェームス・トゥイッチベルによると、バーンバックはユダヤ人であり、そのことがVWの広告に深いところでつながっているのではないかと、たいへん興味のある指摘をしています。

バーンバックは、VWという商品に、〝のろま〟で〝お人よし〟で、ユダヤ社会で言う〝リトルマン〟の役を演じさせている、とトゥイッチベルは言うんですね。で、その〝リトルマン〟というのは、控えめで心配症で、そのくせいつも物事が正しくなるように心がけているような男であって、このキャラクターは、チャップリンからウディ・アレンといった人たちに通じるものだ、というわけです。

そう言われてみれば、あの広告のなかのVWは、『独裁者』のなかのユダヤ人の床屋チャーリーに、どこか共通しているように思えてくるし、華やかなハリウッド・スターのなかにポツンとひとり離れて立っているウディ・アレンのイメージにもつながる何かを感じさせるところがあります。つまり、VWをそんな〝リトルマン〟に見立て、マッチョぶりを張り合うアメリカ車にクールなケンカを売ろうとした。バーンバックは自分自身を、そこでのリトルマンに、VWに、投入したということになるでしょうか。

VWと言えば、一九三八年にドイツでデザインされ、ヒトラーによって育てられたクルマです。それを、ユダヤ人が経営し、広告主もユダヤ系の企業が多いDDBが、なぜ広告を引き受けたのか。それをトゥイッチベルは「VWがバーンバック自身だったからだ」と言い、さらに「バーンバックにとってVWはドイツ車なんかじゃない、ドイツ車はメルセデス・ベンツだ。VWはユダヤ人のクルマなのだ」と、大胆な発言をしています。

その当否はともかくとして、差異化競争の果てに末端肥大したアメリカのクルマ社会に、バーンバックは鋭い批評の矢を射かけました。「想像力とは、無から何かを生み出す力ではなく、対象の歪んだイメージを本来の形に戻す力のことだ」と、哲学者のＧ・バシュラールは言いましたが、ＶＷの広告は一見奇異にみえるけれど決して突拍子もないことを言っているわけではない、それどころか、一貫してフツーのことを言っている。で、歪んだ世界に馴らされて、その世界がフツーだと思いこんでしまっている人たちに、どっちがフツーか、よく考えてくださいと語りかけているのです。デトロイトの広告の眠り薬で眠ってしまっている人たちに、気つけ薬を配って歩いたというのは、そういう意味です。

アメリカの高名な広告マンが、「広告の目的は消費者とコミュニケーションをすることではなく、敵のコピーライターを打ち倒すことだ」と言ったことがありますが、バーンバックは、デトロイトのコピーライターを、それも彼らの半分に満たない予算で、とことんうちのめした、ということができるでしょう。

ちなみに、「二〇世紀で最高の広告は何か」と、二〇世紀の末に全米の広告制作者にアンケート調査をした結果は、ＶＷの広告キャンペーンの圧勝でした。

広告の批評性

もともと広告は、ジャーナリズムの一分野です。一九六〇年代のはじめに、評論家の鈴木均さんは、ジャーナリズムを〝非日常のジャーナリズム〟と〝日常のジャーナリズム〟に分け、さらに非日常のジャーナリズムを〝事件ジャーナリズム〟と〝意見ジャーナリズム〟に、〝日常のジャーナリズム〟を〝生活ジャーナリズム〟と〝商品ジャーナリズム〟に分けて、商品ジャーナリズムの分野は実際には広告が担っているところが大きい、と言いました。

たしかに広告は、商品についてのニュースを伝えています。こんどこういう商品がこういう値段で発売される、というだけではありません。放っておけばノッペラボーの〝モノ〟にすぎない商品を、人びとの日常生活のなかにどう位置づけていくか、といった商品ガイド(批評)も広告はしている。ジャーナリズムの本質が〝報道〟と〝批評〟にあるとすれば、広告もまた、その二つの働きの上に成り立っている、と言っていいでしょう。

ふつう、広告と批評は、対極にあるというか、いちばん遠いところにあるものと見られがちです。が、ぼくらは、本の広告だけでなく、書評を読んでその本を買いたくなることがある。あるいは、映画の広告よりも映画評を読んで映画館に出向くことが多かったりする。そのとき、そうした批評は、ぼくらに広告として作用したということになりはしないでしょうか。

そんな〝批評の広告性〟があるとするなら、逆に〝広告の批評性〟もある。つねに「逆もまた真なり」とは言いませんが、逆もまた真である場合があります。つまり、すぐれた広告には、多かれ少なかれ、商品や人びとの日常生活に対する批評が含まれている。VWの広告は、まちがいなく、その代表的な例の一つです。

ただし、広告が売るのは、つねにイメージです。そのことから、どこまでいっても広告は逃げられない。そこに、広告の危うさもあるし、また面白さもある、とぼくは思っています。

VWの広告は、アメリカ車があの手この手でつくりあげてきたさまざまなステータス・イメージを、徹底的に壊しつづけました。が、それなら、五〇年前にヘンリー・フォードが考えたように、クルマはA点からB点への移動機械でいいと、VWは言っているのでしょうか。ステータス・イメージなんかいらない、と言っているのでしょうか。

違います。確かにそういう一面も持っていますが、売っているのは、やはりイメージです。つまり、VWの広告は「ステータス・イメージなどに踊らされない人のクルマ」というステータス・イメージを売っている。「虚飾に惑わされず、実用性を重んじるクレバーな人」というステータスを、言いかえれば、〝裏返しのステータス〟を売っているのです。見せかけのカッコよさよりも、カッコ悪いVWに乗るほうが、実はカッコいいことじゃないか、というわけですね。

その一点で、VWの広告は批評ではなく広告になっている。それも、二〇世紀最良の広告になっているのです。

第八講　アンクルトリス——インテリげんちゃんの出現

トリスウイスキーの広告(1961 年)

新中間層の登場

「近ごろ都で流行るもの」

一九五五年(昭和三〇)、新聞に壽屋(現在のサントリー)のこんな広告がのりました。

トリスバーが最近東京都内に一五〇軒以上もできたそうです。人気の原因は気軽に入れて安心してくつろげる庶民的なフン囲気にあるのですが、何といってもそこでだされるトリスがウマく、ヤスくて近代人の味覚にピッタリ合う、ということが最大の理由です。家庭の晩酌にもせいぜい御愛飲下さい。

はじめは記事かと思ったら、だんだん広告になっていくという珍妙な文章ですが、それもそのはず、この時期の〝トリスバー〟の増殖ぶりは、たしかにマチの話題になっていました。とりわけ、高級クラブに行くカネもなければ、いかがわしいバーをのぞく勇気もない若いサラリーマンにとって、トリスバーの出現はちょっとした〝事件〟だったと言ってもいいでしょう。

ぼく自身、そんなサラリーマンのなかの一人だったのでよくおぼえていますが、扉を押すとタバコの煙にまじって、ベニー・グッドマンやハリー・ジェームスの音楽が流れてくる。店のなかは一〇人から一五人くらいでいっぱいになるような所が多く、とまり木にとまって客が飲んでいるのは、だいたいトリスウイスキーのハイボールと相場がきまっていました。一杯五〇円。月給一万円ちょっとの安サラリーマンには、かなりのぜいたく品です。

とまり木にはいろんな顔が並んでいましたが、顔は違ってもほとんどの客が同じ〝種族〟であるところに、トリスバーの最大の特色がありました。トシは二〇代から三〇代。職業はホワイトカラー。新制教育の門をくぐり、敗戦と同時に押し寄せてきたアメリカ文化の洗礼を受け、石原裕次郎ほど足は長くなくても〝太陽族〟に共感をおぼえ、ドレミは読めなくてもジャズやミュージカルを素直に受け入れられるといった、いわゆる戦後派の人たちです。

この時期、加藤秀俊さんは『中間文化論』というユニークな一文を書いて、週刊誌やミュージカルやトリスバーやらに象徴される戦後派世代の独自な文化のカタチを〝中間文化〟という言葉でとらえました。それによれば、「中間文化とは、高級文化と大衆文化の中間をいく妥協の文化」であり、それは「常識主義によって支えられ、適度の政治的好奇心とゴシップ精神、そして趣味的中間性を特徴とする」。そして「その担い手、使い手は日に日に増大する社会的中間層」です。

しかもその中間文化は、「サラリーマンという正真正銘の〝中間層〟の独占物ではない」と加藤さんは言っています。教育の均一化、マスメディアの発達、所得の平準化といった動きのなかで、〝中間文化〟は職業や階層の垣根をこえて浸透していく。「大げさにいえば、いまや日本全体が中産階級的信念体系・価値体系を中心として、動きはじめている」と、加藤さんは言いました。やがてはじまる一九六〇年代の大衆文化の姿を、この論文は大筋でしっかり見通していたと言っていいでしょう。

トリスバーのとまり木にとまっていた戦後派のサラリーマンたちは、まさに、そんな〝新中間層〟の代表選手でした。そこでは、新しい人種にふさわしく、言葉もまた新しかった。もともとサケには、そのサケが育ってきた国の文化が、サケの香りと一緒にしみこんでいるものですが、飲み屋で焼酎を飲んでいるときには「おれ」「おまえ」と呼び合っていた平仮名的人間関係が、トリスバーでは「キミ」「ボク」のカタカナ的関係に変わる。と同時に、会話の中身そのものにも、映画や本のタイトルから作家や俳優の名前まで、カタカナの混合率がやたらに高くなり、〝課長〟という呼び名も〝マネジャー〟に変わったりしました。で、その〝マネジャー〟は、飲み屋では「お富さん」しか歌わないのに、トリスバーでは「バナナボート」を口ずさむといったぐあいです。

で、そんなカウンターの隅には、常連になるともらえる『洋酒天国』という名の洒脱なPR誌が置いてありました。編集長は若い日の開高健で、その彼に言わせると、「コマーシャル色は徹底的に排除し、香水、西洋骨董、随筆、オツマミ、その他、壽屋製品をのぞく森羅万象にわたって取材し、下部構造から上部構造いっさいにわたらざるはなく、面白くてタメになり、博識とプレイを兼ね、大出版社発行の雑誌の盲点と裏をつくことに全力をあげた」ということになる。執筆陣がまた、当時の一流の文化人を総動員したようなぜいたくさで、遊びの粋をきわめた小冊子といった感じのものでした。

創刊は一九五六年(昭和三一)の四月で、二万部から出発して、一九六四年二月の最終号では一六万部に伸びています。企業のPR誌で、これほどヒットしたものは、あとにも先にもないんじゃないか、とぼくは思っています。

この『洋酒天国』が出る少し前に姿を消したアサヒビールのPR誌『ほろにが通信』も、たいへんしゃれた内容で評判をとりました。創刊が敗戦から五年目の一九五〇年のことで、紙も印刷も質はよくなかったのですが、中身は良質の対談あり、洒脱なエッセイあり、海外の話題や映画のコラムありといったぐあいで、ビアホールへ通うサラリーマンのあいだでやはり引っ張りだこになりました。ぼくの数年先輩の人たちなどは、「『ほろにが』は『洋酒天国』なんてチャチなものではなかったぞ」と、ほろにがい顔をしてよく言ったものです。

が、飯沢匡さんを中心とする『ほろにが通信』の編集同人はほとんどが戦中派で、ファンもまた戦中派の人が多かったのに対して、『洋酒天国』には〝戦後派による戦後派のための戦後派の雑誌〟という匂いが強烈にあった。戦争によって失われたものを取り返すというよりも、新しいものをシャニムニ求めようとする軽佻浮薄な好奇心が誌面にあふれていました。それが、一九五〇年代の中ごろから経済成長の波に乗って現れてきた〝新中間層〟をとらえると同時に、〝新中間層〟にくっきりしたカタチを与えることになったと言っていいんじゃないでしょうか。

アンクルトリスの誕生

二〇世紀は大衆の時代です。前世紀までの伝統的な社会が壊れ、〝ふつうの人たち〟が社会の前面に進出して、〝市民社会〟から〝大衆社会〟への、まさに二〇世紀的な転換が行われました。

大衆社会の出現に大きな役割を果たしたものの一つは、教育の普及です。日本の場合で言うと、一八七二年(明治五)、明治政府が出した「被仰出書《オオセイダサレショ》」には、「自今以後一般の人民(華士族農工商及婦女子)必ず邑《むら》に不学の戸はなく家に不学の人なからしめん事を期す」とあります。つまり、国民は一人残らず学問を修めさせるようにするということです。

同じ年に、福沢諭吉は『学問のすすめ』を書いていますが、「天は人の上に人を作らず、人の下に人を作らず」と人間の平等を説き、貧富の差はその人の〝働き〟によって生まれてくるものにすぎない、と言っています。で、その〝働き〟は、学問を修めるかどうかできまってくるから、学問は立身のために必要なものだと説きました。

つまり、だれでも勉強次第では出世ができるという道が、一応みんなの前に開かれたわけです。が、実際に大学まで行って新しい社会のエリートになるのは、ほんのひとにぎりの人たちでした。で、その人たちのことは、大衆とは言わない。言ってみれば、インテリゲンチャですね。知識人。そんな〝知識人と大衆〟という構図が、大衆社会の進展とともにできあがって行きました。

文化の面でもそれは、知識人の文化と大衆文化という二つの領域をつくり出していくことになる。象徴的に言われるのは、岩波文化と講談社文化ですね。明治生まれのぼくの父は、四国の松山中学を出たあと東京に出てきて知り合いの酒屋で働き、のちに結婚して自分で小さな酒屋を営むようになりましたが、なぜか押し入れのなかに本やレコードをいっぱい並べていました。毎晩、寝る前に読んでいたんでしょう。酒屋のおやじが本なんか読んでいるのを知られるのが、恥ずかしかったのかも知れません。

が、そのなかに、岩波の本はなかった。たぶん講談社版だと思いますが、菊池寛全集がありました。それから、佐々木邦の本とか、吉川英治の本とか。レコードもベートーヴェンやモーツアルトはまったく不在で、あきれたぼういずの歌謡漫談とか柳家金語楼の落語とかのレコードがケースにびっしりつまっていました。映画も大好きで、近くの映画館へいつも連れて行ってくれましたが、見るのは日本の時代劇や活劇映画ときまっていましたね。トルストイを読み、バッハを聴き、築地小劇場へチェホフを見に行ったりする人たちとは、まったく違う文化圏の住人だったわけです。が、そんなふうに知識人と大衆を分けていた壁が、一九四五年（昭和二〇）の敗戦以降、ガラガラと壊れていく。で、その壊れた壁の裂け目から、これまでの知識人でもなければこれまでの大衆でもない、よくも悪くもどっちつかずのヌエ的な若者たちが、どんどん出てくるようになったのです。

その背後には、戦後の経済成長と教育制度の改革と、そしてマスコミの発達があります。とくに、大学へ行くのが特別のことではなくなったことが、知識人と大衆の境界線をあいまいなものにしてしまいました。もともと、知識人の文化と大衆文化を分けること自体に意味がないし、日本の時代劇が好きだったぼくの父が、一方ではチャップリンを面白がっていましたから、境界線はあってないようなものだったと言っていいのでしょう。

それが、戦後はほとんど消滅する。それによって、知の大衆化は進んだけれど、そのぶん知のレベルは低くなった、と言う人もいますし、以前の大衆が持っていた知恵とか情とかも薄れてしまった、という声もあります。が、その是非は別として、とにかく、大衆像が変わった。インテリゲンチャと呼ぶにはあまりに大衆的なこの中間層を、コピーライターの糸井重里さんは〝インテリげんちゃん〟と名付けましたが、〝インテリげんちゃん〟の大量出現こそ、戦後最大の〝事件〟だと言えそうな気がします。

トリスの広告は、一九五〇年代の後半から登場してくるこの〝インテリげんちゃん〟の先兵たちをとらえました。で、そんな連中の兄貴分として、〝アンクルトリス〟を世に送り出しました。アンクルトリスの誕生は一九五八年のことですが、その年にサントリーは、新しくスタートするテレビコマーシャルへの対応に迫られていた。で、アニメーションでいこう、いつも主役で出てくるキャラクターをきめよう、ということになり、「小心だが思い切ったところもあり、義理人情にもろいが合理的な一面も持ち、女嫌いなところとエッチなところをミックスした」と生みの親たちが言うアンクルトリスが誕生したのです。国籍不明の太めのおじさんで、ウイスキーを飲むと下から顔に赤みがせりあがってくるという、柳原良平さんの絵で親しまれたあのキャラクターです。

以後、このアンクルトリスは、あるときはちょっとイジワルなサラリーマンになり、あるときは西部の伊達男になり、あるときは下町の職人になり、またあるときはチンドン屋になり、といったぐあいに、テレビのなかで変幻自在の活躍をはじめ、CMキャラクターのトップスターにのしあがっていきます。

職業、地位、家柄、一切を問わず。

先生、おっさん、旦那、ボンボン、外人

大学生、大臣、大将、社長、平社員

組長、村長、係長、市長

おれ、ぼく、きみ、お前、あんた、一切関係なし
男女の差別、これまたなしの民主主義。
一杯やると握手したくなり、
二杯やると走りたくなるウイスキーだ。
大人なら飲む、トリスウイスキー!

図 27　動くアンクルトリス POP

このＣＭでのアンクルは、やってきた民主主義の賛美者です。大臣や大将が主役ではない、いまや〝フツーの人〟が主役なのだといった顔で、彼は一杯飲んで人びとと握手し、二杯飲んで走りだす。そんな彼の姿に、テレビの前のぼくらは、つい自分を重ね合わせてみてしまう。そう、そこに映っているのは、まぎれもなく自分なのだといった気分になったものです。

アンクルトリスは、中間層の旗を立てることで、戦後の混沌のなかから新しい大衆像を抽出し、その人たちを顧客とする新しい市場をつくりだしました。その市場に集まった人たちの像を、『中間文化論』の加藤秀俊さんは、のちに、こう回想して書いています。

すっかり手垢のついたことばだけれど、要するに〝庶民〟なのである。トリスは〝庶民〟のシンボルなのである。だから、といって、それはナニワブシやら演歌やら団体慰安旅行やら、あるいはタコヤキやら、とつながる〝庶民性〟なのではない。トリスの象徴する〝庶民〟は、都会的である。それはデパートの既製服、軽音楽、週刊誌、推理小説、タバコでいえばハイライト、といった一連のものにつながってゆく――そういう種類の〝庶民〟なのである。あえていうならニュールックの新庶民。新中産階級。その文化のなかに、トリスはぴたり、とはまっている。いや、その文化イメージを形成するにあたって、トリスというものが貢献したのだ、といったほうがよい。

(『トリス文化論』サン・アド、一九七五年)

同時代に語りかける

戦前、片岡敏郎を外部から宣伝部長に招いて広告の黄金時代を築いたサントリー(壽屋)は、戦後、やはり外部から山崎隆夫さんを宣伝部長に招いて再び広告の黄金時代を開きました。招いた佐治敬三社長によれば、「氏は学生時代からディレッタントとして秀で、絵画は国画会会員、音楽もまた素人ばなれという、規格をこえた人物」だったという。彼は片岡とは反対に広告の制作にはいっさい手を出さず、有能な表現者を積極的に集めることと、のびのびと仕事のできる環境づくりに力を注ぎました。実際、彼は広告をつくる部員たちに、「ほん機嫌よう遊んでや」とだけ、言いつづけたそうです。

「批評とは人の作品をダシにして己れを語ることではないか、と言ったのは高名な文芸批評家であるが、広告もまた、商品をダシにして自己を語ることではないか」

と、山崎さんは言っています。彼が宣伝部に集めたかった人間は、なまじっかな広告のプロではなく、つまり広告について語れる人ではなく、自身について語れる人だった。もう少し正確に言えば、同時代に向かって語りかける何かを持っているような人だったと言えるでしょう。

そんな山崎さんのもとで、一九六一年、開高健さんはこんな広告を書きました。

「人間」らしくやりたいナ
トリスを飲んで
「人間」らしくやりたいナ
「人間」なんだからナ

一九六一年とは言えば、〝レジャー〟という言葉が流行語になり、行楽地のにぎわいを、マスコミが〝レジャーブーム〟と騒ぎ立てた年です。電化製品を主軸にした〝消費革命〟がほぼ完了し、前年には政府の〝所得倍増計画〟が発表され、日本は〝豊かな時代〟の入り口に立っていました。が、人びとの実際の暮らしは、まだまだレジャーを楽しむなんてゆとりはない。一方でブームに躍らされながら、一方でその空しさをかみしめていたような人びとの心に、この広告はぐさりと突き刺さってくる力を持っていました。ちょうどそのとき、自分が失職中で職安通いをしていたせいもあってか、「人間なんだからナ」という最後の一行に、物質的な豊かさに引きずられ、人間らしさが次第に失われていく時代への、広告の書き手の怒りにも似た感情のほとばしりを感じて、強い共感を持ったのをおぼえています。

つまり、ここには、「商品をダシにして己れを語っている」一人の書き手がいる。その言葉からは、物質的な繁栄ムードに浮かれている世間を横目に見ながら、ひとりサケを飲んでいる男の肉声が聞こえてくるような印象がある。おそらく、そう感じた人が多かったのでしょう、この広告は大きな評判をとり、以後のトリスの広告の原点にもなりました。

みんな、山を見る
オレ、川を見る
みんな、東京に集る
オレ、旅に出る
テレビで観る
トリス飲む

（旅の宿のテレビでオリンピックを見ているアンクルの絵、一九六四年）

野球中継が
スポンサーの御好意もなく
途中で打ち切られても、だな
腹をたてるなよ！

紳士なら
野球通なら
思いをこめて
トリスを飲もう!
頭のなかで
自分の野球を組みたてよう
勝利を信じて
トリスを飲もう!

(家のテレビで野球中継を見ているアンクル、一九六六年)

花見なり
花見酒なり
花はなくとも
トリスあり
山河荒れても
トリスあり
我慢なり

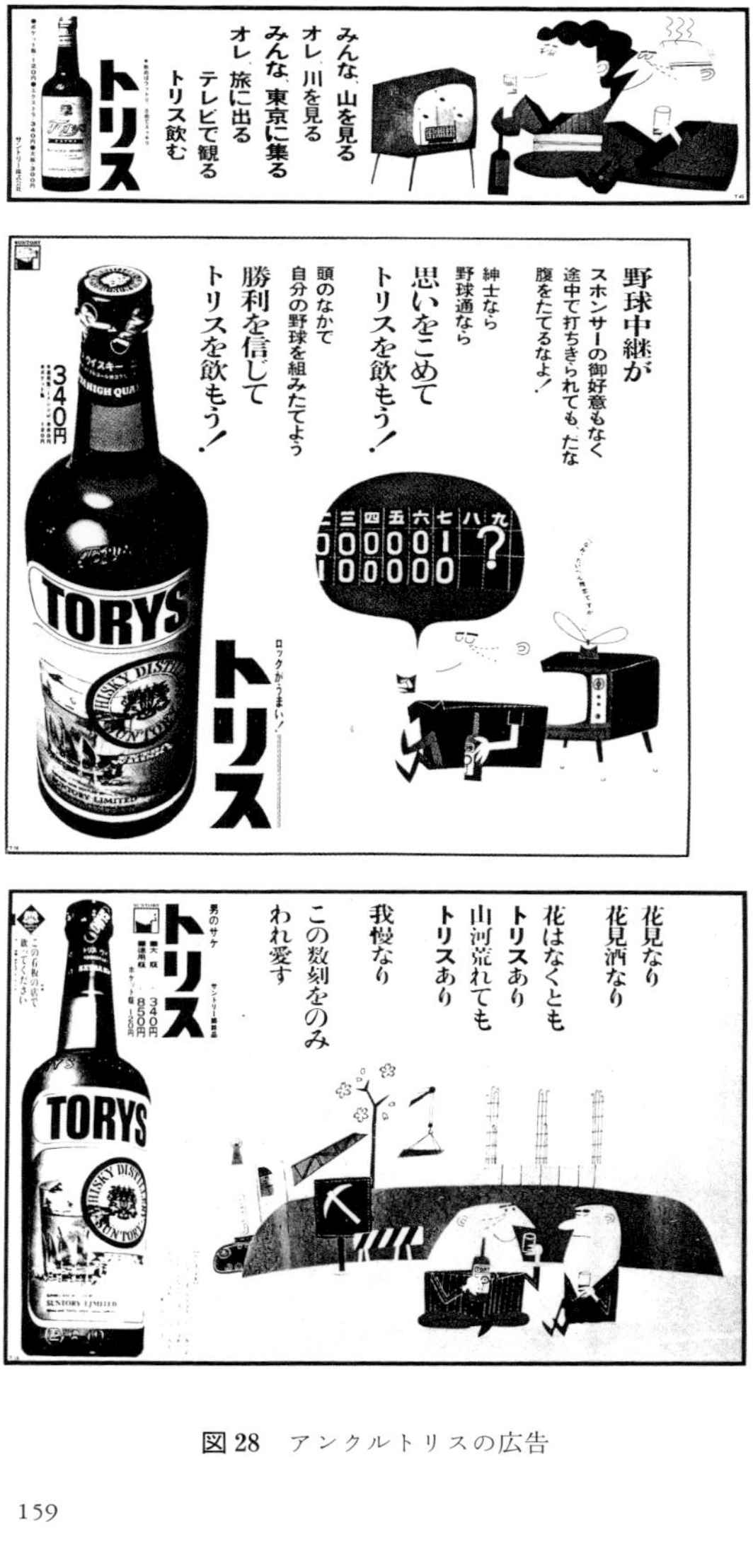

図 28　アンクルトリスの広告

この数刻をのみ
われ愛す

（工事の現場前でサケを飲むアンクル、一九六七年）

開高健さんや山口瞳さんたちが書いた広告コピーのどれを見ても、「商品をダシにして己れを語る」という手法は一貫しています。が、「商品をダシにして」と言っても、決して商品をないがしろにしているわけではない。それは、よくわかると思います。〝サケ〟という商品の特性もありますが、ここでは、サケを飲みながらつぶやく書き手のつぶやきが、そのまま広告コピーになっている。そのつぶやきが、同時代を生きる人たちの思いと、どこでどうつながりどう共鳴していくか。そこが、この広告の勝負どころになっているのです。

VWの回で言ったように、広告がジャーナリズムの一分野であり、広告が批評の一形式であるとすれば、一九六〇年代を賑わしたトリスの広告の数々は、トリスをサカナにして語ったアルコール度四五%の生活批評であり、時代批評だった、ということができる。同時代に向かって語りたい何かが己れのなかになければ、手にした商品をためつすがめつしてみても、言葉は何も出てこないのではないでしょうか。

ちなみに、自分のコピーライター時代をふりかえって、のちに開高健さんはこう語っています。

「当時はコピーライターとして、私は本能的に時代を生きていたと思うんです。同時代がからだのなかにあった、と言えばいいんでしょうか」

同時代が自分のからだのなかにある、と思えれば、己れを語ってもその言葉は己れをこえ、同時代の言葉になる。それがジャーナリズム表現の理想だし、広告表現の理想形でもあると、ぼくは思っています。

第九講　ＮＡＳＡ——地球を広告する

月の地平線に浮かぶ地球(提供，NASA)

冷戦下の広告戦

一九六九年七月二〇日、人間がはじめて月に降り立った。これは、二〇世紀のニュースのなかでも、最大のものの一つです。が、ぼくらに決定的な影響を与えたのは、そのこと自体ではない。重要なのは、次のことです。

「一九六九年七月二〇日、人間がはじめて月に降り立った様子が、茶の間のテレビに映し出された」

もちろん、「人間が月に降り立った」という出来事がなければ、それを伝えるニュースも成り立たないわけで、人間が月に降り立ったことが大きい。が、そのとき、二〇世紀最大の発明の一つであるテレビというものがなくて、新聞にそのニュースがのっただけだったら、この出来事の影響はかなり違ったものになったと思います。

新聞のニュースは、基本的に〝結果報道〟です。過去の出来事を知識として知るだけです。が、月に降り立ったアポロ11号のアームストロング船長をテレビで見たときには、ぼくらもまた、月に降り立ったのです。降り立つことを深層的に〝体験〟したのです。〝知った〟のではなく〝した〟

わけで、これは決定的に違う。

テレビの映像には、触覚的特質があると、マクルーハンは言いました。映画は見るものだが、テレビは触るものだ、という。そんなテレビ映像の触覚的特質を示す例として、マクルーハンは、ある医学の分野で実際に起きたこんなケースをあげています。ある大学病院で、教授がモニターテレビを使って外科手術の指導をしていたとき、手術をテレビで見ていた医学生たちは、手術をただ見ていたのではなく、自分でメスを手に持っているように感じた、というのです。

こうしたテレビ映像の特質は、〝ニュース〟の意味を、活字時代とは決定的に変えました。と同時に、広告の意味も大きく変えました。とくに、熱っぽいハードセル型の広告は、テレビの出現以来、ほとんどその効力を失っていくのですが、そのことはまた後に触れることにして、ここでは人間が月に降り立った話に戻りましょう。

月にはじめて降り立ったのはアームストロング船長ですが、もちろん彼ひとりでそれができたわけではありません。月に人を送りこむという課題を解くために、直接の関係者六万人、協力企業二万社、外部技術者四〇万人が参加し、二五〇億ドル(三兆二〇〇〇億円)の税金が使われたと言われています。レオナルド・ダ・ヴィンチでも人を空に飛ばすことはできませんでしたが、集団創造の力が一人の大天才の力をこえた。あるいは、レオナルドのような天才たちが営々と積み上げてきた知識と技術の蓄積が、そのハシゴが、とうとう月にまで届いたということになるでしょう。

で、その集団創造の核になったのが、アメリカ航空宇宙局、National Aeronautics and Space Administration、略して「NASA」です。で、そのNASAに、人を月に送りこめと強力にせっついたのは、あのケネディ大統領です。一九六一年五月、ケネディ大統領は上下両院合同の本会議で有名な特別教書の演説をしましたが、そのなかで彼はこう宣言したのです。

アメリカは一九六〇年代の終わりまでに、人間を月面へ軟着陸させ、無事に地球に帰還させるという目標を達成する。なぜなら、それがやさしいからではなく、困難だからだ。人類にとって、これほど意義深く、感動的な計画は、ほかに例を見ない。

これは宣言であって命令ではありませんが、だいぶ後になってホワイトハウスが公開した資料によると、ケネディ大統領は当時のNASAのウェブ長官に、月着陸ではソ連に負けることなく必ず〝一番乗り〟を果たすよう厳命していたことがわかりました。さっきの演説から一年半後の一九六二年一一月のことです。そのとき大統領は、米ソの冷戦で宇宙開発競争に勝つことが至上命題であるとウェブ長官に語り、月着陸については「私自身は別に宇宙に興味はないが、国際政治的な理由からも重要だ」と言ったそうです。

その翌年、ケネディ大統領はダラスで凶弾に倒れ、月着陸の一番乗りを見ることなく世を去りましたが、彼自身は別に宇宙になんか興味はなかったというのが、ぼくにはとても面白かった。この点については、『アメリカ宇宙開拓史』(新潮文庫)という著書のなかで、中冨信夫さんも、こんなふうに言っています。

ケネディ大統領は、フォン・ブラウンやゴダード〔宇宙ロケットの代表的技術者〕ほど月に魅せられた人間ではなかった。有人月飛行をアメリカの国家威信を高めるために利用し、同時にソ連との競争に勝ちたかったのである。もし有人月飛行よりも大衆にアピールし、ソ連との競争に勝てるものであれば、アトランティス大陸の探査でも、核融合計画の推進でも、癌の特効薬の開発でも、何でもよかったのである。

つまり、アメリカの〝広告〟になるものなら、ケネディ大統領はなんでもよかったということでしょう。〝冷戦〟もまた戦争ですが、それは武器を使わない、情報の戦争であり、広告の戦争です。ケネディは、それに勝ちたかった。
というのも、その広告戦で、アメリカはソ連にやられっぱなしでした。派手な宇宙開発の分野で、ソ連は次々にビッグニュースを作り出し、その優位性を世界中に広告しつづけていたからです。

まず、一九五七年、ソ連は世界最初の無人人工衛星スプートニク1号の打ち上げに成功する。そのニュース(広告)にあわてたアメリカは一九五八年にNASAを発足させ、有人宇宙飛行のマーキュリー計画をスタートさせるのですが、それをあざ笑うように、一九六一年四月、ソ連のガガーリン少佐をのせたボストーク1号が有人初の地球一周をやってのけます。おまけに、地球に帰還したガガーリンが、「地球は青かった」なんて名コピーを吐いたものだから、ソ連の広告効果はいっそう上がりました。有人飛行ではソ連をリードすべく、アメリカが五月五日にシェパード中佐を宇宙に送り出そうとしていた一か月前のことです。

踏んだり蹴ったりとはこのことですが、これがケネディ大統領に例の演説をさせるきっかけになり、アポロ計画の誕生につながっていきました。そして「六〇年代の終わりまでには」というケネディ大統領の約束どおり、一九六九年七月二〇日にアメリカは月飛行一番乗りを実現する。それは、負けっぱなしだった冷戦下の広告戦争で、アメリカが逆転勝利をおさめた日付でもあります。

と言っても、このアメリカの〝広告〟に、世界中が熱狂したわけでもありません。アポロ11号の月着陸のテレビ中継は、NHKの場合、平均視聴率が二八・三%でした。また、月着陸の感想を聞かれたチャールズ・A・リンドバーグは「宇宙開発もいいが、われわれは地球の表面を保護する必要がある。そのほうが重要なことだ」と答え、パブロ・ピカソは、「私にとってはどうでもいいことだ。別に言うこともないし、関心もない」と言っています。すごい出来事であるのは確かですが、世界中が熱狂したと言っては、嘘というか、言い過ぎになると思います。

〝地球人〟の誕生

NASAは〝偉大なアメリカ〟を広告しましたが、同時にNASAの意図とは関係なく、まったく別のものを広告することになりました。

それは〝地球〟です。NASAは〝アメリカ〟と一緒に〝地球〟を広告した。アポロ11号の宇宙飛行士たちが月に降り立つのをテレビで見た人たちは、そこにアメリカの科学技術のすごさを見ると同時に、月の地平線にぽっかり浮かんでいる小さな天体、地球を見てしまったのです。それも、スチル写真ではなく、同時ナマ中継の映像で、つまり、「あそこにいまぼくらがいて、こっちを見ているのだ」というカタチで、地球を見てしまったのです。

厳密に言うと、月面の宇宙飛行士と月の地平線に浮かぶ地球とが、一つの映像のなかで同時に映っていたかどうかは、記憶が定かではありません。アポロ11号が飛ぶ半年前に、アポロ8号が撮った有名な「地球の出」の写真が、ぼくのなかで11号の写真と一緒になってしまっているのかも知れない。あるいは、11号の着陸船の向こうに見えた地球と混同しているのか、11号以後の宇宙飛行士の月面活動のときの写真と記憶がごっちゃになっているのかも知れません。

が、いずれにせよ、月面を歩く宇宙飛行士と空に浮かぶ地球を見た、という体験から、〃地球市民〃という言葉が生まれた、地球規模のコミュニティ感覚が生まれたのではないか、とぼくは思っ

図 29　月面を歩く宇宙飛行士(提供，NASA)

ています。いつ、だれが、〝地球市民〟という言葉を言い出したのかはわかりませんが、アポロ11号の月着陸以前には、そんな言葉はあまり聞かなかったんじゃないでしょうか。ついでに言うと、環境問題が世界的な、それこそ地球的なテーマとしてクローズアップされてくるのも、これ以後のことではないかと思います。

それまでぼくらは、絵や写真でしか地球を見たことはありませんでした。だから、地球は観念としてしか、ぼくらのなかになかった。当然、自分のことを〝地球人〟とか、〝地球市民〟として実感したこともありませんでした。

それに近いものはありました。古代ギリシアに生まれた〝コスモポリタリズム〟も、その一つでしょう。これは、ギリシア語の「コスモス(宇宙)」と「ポリーテース(市民)」の二語から合成された英語で、「宇宙市民主義」といった意味合いの言葉だと言っていい。古代ギリシアのアナクサゴラスという哲学者が、政治に無関心なことをなじられ、「なぜ君は祖国を気にかけないのだ」と問いつめられたとき、彼は静かに「言葉をつつしみたまえ。私はいつも祖国を気にかけている」と言って天空を指さしたという面白いエピソードもあります。

その後、コスモポリタリズムは、世界主義とか四海同胞主義といったような近代的な装いで引き継がれていくのですが、ナショナリズムや帝国主義的な紛争がさかんになった一九世紀以降は、抽象的でリアリティにとぼしい〝ユートピア〟として排除されるようになってしまいました。

〝宇宙〟に代わって出てきたのは、〝世界〟です。〝世界人〟という言葉が現れ、それと表裏一体のカタチで〝国際人〟という言葉がよく使われるようになった。ぼくらも若いころは「世界人になれ」とか「国際人の視野を持て」などと言われたものです。

が、この場合の〝世界〟というのは、アメリカとかフランスとかドイツとか、いわゆる先進的近代国家によって支配されている空間といった感じがする。〝世界人〟というのは、そういう近代国家に住む人たちであり、〝国際人〟というのは、そういう国家間を自在に行き来できる人、といった感じですね。つまり、そこには、〝地球〟のイメージはまったくない。あるとしたら、北半球の一部だけが異常に肥大した地球だと言っていいでしょう。

それが、あの日から変わった。中空に浮かぶ青い地球を、何億もの人が同時に見るという体験のなかから、コスモポリタリズムがリアリティのあるものとしてよみがえってきた、と言えばいいのでしょうか。とにかく、あのときから、ぼくらの空間認識が大きく変わったことはたしかです。

「この世の中には、〝世界人〟と〝地球人〟の二種類の人間がいる」

と、十数年前、ぼくは書いたことがあります。「地球人の想像力」という小文なのですが、そのはじめのところだけ、ちょっと聞いてください。

この世の中には、〝世界人〟と〝地球人〟の二種類の人間がいる。

世界人は日本とかアメリカとか国家別に分かれた「世界」に住み、地球人は太陽系のなかの一つの星である「地球」に住んでいる。どっちも同じじゃないかと言う人がいるかも知れないが、決して同じではない。この違いがわからない人は世界人であって、言葉の世界の住人である。「世界」というのは言葉の産物であり、言葉のなかにしか存在しないフィクションだからである。そういう人は、月や人工衛星からうつした地球を見せると、「あれ！　国境の赤い線もないし、国別に色分けもされてないじゃないか」と言うから、すぐにわかる。

未開種族の人たちは、おおむね地球人である。彼らの言葉のなかには「世界」なんてものはない。似たようなものはあっても、それはぼくらが使っている「世界」という言葉とは本質的にイミが違って、むしろ「宇宙」に近いものだ。

ついでに言うと、彼らのなかには、「時間」という言葉もない種族もあって、だからぼくらをしばりつけているような時刻の観念がない。待ち合わせは「夕日が山に沈むころ」や、「月が地平線から出るころ」である。

こんなことを考え、こんなことを書くようになったのも、もとをたどれば、あの日、月の地平線から昇る地球を見たせいです。ＮＡＳＡがやった広告のおかげです。

〝クール〟なテレビ

それにしても、もしテレビというメディアがなかったら、NASAの広告はああまでうまくはいかなかった。テレビは、二〇世紀が生んだ最強のニュース・メディアであり、広告メディアです。「マルクスは一〇〇年もつが、マクルーハンは五〇年もつ」と、一九六〇年代に鶴見俊輔さんが言ったことがあります。ぼくもこの二人は、二〇世紀の思想家の双璧だと思っているのですが、マルクスがすぐれて活字型の思想家であるのに対して、マクルーハンはとことんテレビ型の人だったという点で、きわめて対照的な思考の持ち主でもありました。

よく知られているように、マクルーハンは、活字を〝ホット〟なメディア、テレビを〝クール〟なメディアととらえています。活字が線的な思考を熱っぽく突き詰めていく特性を持っているのに対して、テレビは面的で、線的思考ができないかわりに、活字的思考のムリやウソをバラして、すべてのものを平熱化する性向がある、と言えばいいでしょうか。「アメリカが人類初の月面着陸に成功！」と、活字がテーマを一点にしぼって熱っぽく叫んでいるときにも、テレビは月面に降り立った宇宙飛行士の姿と同時に、月の地平にぽっかり浮かんだ地球も映し出してしまう。で、「ぼくらはあんな小さな星のなかであくせく生きているんだな」とか、「一つの地球のなかで冷戦なんかやってる人間ってバカみたい」といったサメた思いを、テレビの前の人たちに持たせてしまうといったぐあいです。

この〝ホット〟と〝クール〟の仮説をふまえて、マクルーハンは「専門分化を促す活字は部族を解放し、共感覚化を促すテレビは再び部族を生み出す」と言いました。ちょっとわかりにくい言い方ですが、平たく言うとこういうことになるでしょう。

印刷文化の発達は、人びとから個の意識を引き出すことで、部族の世界から個人を解放し、その一方で、バラバラになった個人と個人を合わせた巨大な組織をつくり出した。個人主義やナショナリズムが生まれたのも、国境の壁が高くなったのも、巨大な軍事組織や高度な産業社会ができあがったのも、そしてマス市場やマス教育が成立したのも、印刷というメディアが環境化されたからです。

ところが、次にテレビが環境化されるようになると、印刷メディアがつくり出した環境がどんどん壊れていく。個人主義が壊れ、ナショナリズムが壊れ、国境の壁が壊れ、巨大な軍事組織や産業社会が壊れ、マス市場やマス教育はうまくいかなくなって、人間は再び部族化していく。で、電気技術の発達でどんどん小さくなった地球は、やがて一つの小さな〝村〟になっていくだろう、とマクルーハンは考えたのです。

ま、現実はそう簡単にはいかないでしょうが、考え方の本筋はよくわかる。ソ連邦が解体したのも、ベルリンの壁が崩れたのも、そうした文脈のなかで考えるとすんなり理解できるし、ケータイを肌身離さず持ち歩き、インターネットで人種や宗教をこえてつながっている若い人たちを見ていると、新しい〝部族〟の匂いがしてくるような気がします。

〝アメリカ〟を広告するつもりだったNASAが、結果的に〝地球〟を広告することになってしまったのは、それにしても、皮肉な話です。ナショナリズムを売りながら、同時にアンチ・ナショナリズムを売ったようなものです。が、だから、テレビなのです。それが、テレビなのです。そんなテレビの〝ルーズ〟さを認め、むしろそれを積極的に許容し、できれば活用していくほうが、テレビの表現は豊かになると言っていいでしょうね。

商品の向こう側

ここでちょっと息抜きをかねて、面白いテレビCMを二本、見てください。

はじめのは、アメリカのCMで胃薬のアルカ・セルツァー。二本目はイギリスのCMでキッチンタオルです。

〈アルカ・セルツアー〉（一九七一年）

ミートボール・スパゲッティのCMを撮影中のスタジオ。キッチンのセットの前で、テーブルに向かってすわっているふとっちょのオジサンと、その横に立ってスパゲッティを差し出すふとっちょのオバサン。カチンコが鳴って、撮影がはじまる。

オジサン「(ひとくち食べ)マンマミーヤ！　肉のたっぷり入ったオツな味のミートボール！」

画面の外から「カット！　アクセントが違うぞ」といった監督の声が入ってNG。で、改めてやり直すのだが、何度やってもどこかにミスが出て、OKにならない。スパゲッティを食べ過ぎて、ゲップが出そうなオジサン。

と、そこへ「こんなとき、アルカ・セルツアーはあなたの胃を楽にして、あなたを助けます」と、コップのなかで溶けていくアルカ・セルツアーの商品カットがインサート。で、ふたたび画面はオジサンとオバサンに戻り、「ハイ、テイク59。よーい、スタート！」とカチンコが鳴り、アルカ・セルツアーで気を取り直したオジサンはカメラに向かって声を張り上げる。

「マンマミーヤ！　肉のたっぷり入ったオツな味のミートボール！」

こんどはうまくいったと思った瞬間、セットのオーブンの扉がガタンと落ちて、またもNG。

ボーゼンとするオジサン。画面の外で、「しょうがないなあ。じゃ、昼飯にしようか」と監督の声。

ここでは、CMはヤラセだということが、はじめっからバラされています。商品の効能をまことしやかに言い立てるようなやり方の嘘は、テレビというクールなメディアでは成り立たないということが、よくわかっているんですね。で、それを逆手にとることで商品を引き立てるという方法をとっている。

ところで、このCMを見た人のなかには、アルカ・セルツアーの効能より、CMタレントのたいへんさというか、悲哀というか、そういうものを感じる人がいるかも知れない。あるいは、アルカ・セルツアーのことよりも、あのスパゲッティがおいしそうだなと、そっちのほうに気をとられる人がいるかも知れません。が、それでいいのです。そういうものをカットして、つまり、アルカ・セルツアーの効能しか目に入らないようにしてしまったら、だれもそんなものは見てくれないからです。

〈ヌーベル・キッチンタオル〉(一九八七年)

イギリスの平均的な家の食堂。二人の老婆(姉妹かな?)がテーブルで食事をとっている。と、一人の老婆がもう一人の老婆にちょっと目くばせをし、食べていた皿の汁をパッとテーブルの上にスプーンでこぼす。キャーッと歓声を上げる二人。立ち上がり、先を争って洗面所にかけこみ、キッチンタオルをとる。

(ナレーション「エッセルとブレンダーはまじめなお婆さんでした、新しいキッチンタオルを買うまでは」)

食堂へとって返す二人。キャーキャーはしゃぎながら、キッチンタオルでテーブルの汚れをきれいにふきとる。

(ナレーション「よく吸いとってきれいになるので、掃除したくなるんですね」)

ふたたびテーブルでデザートを食べている二人。と、こんどはもう一人のほうの老婆がデザートのクリームをスプーンにとり、壁にベチャッと投げつける。キャーッと歓声を上げて立ち上がる二人……。

これもまた、広告主が言いたいのは、「ヌーベル・キッチンタオルは汚れをよく吸い取ってきれいにするタオルです」ということです。げんに、ナレーションはそう言っています。が、そんなことだけをいくら叫んでみたって、あるいは猫なで声でささやいてみたって、だれもこっちを向いてはくれません。で、こっちを向いてもらうために、二人の老婆にちょっとしたコントを演じさせているわけですが、ここでもまたぼくらは、キッチンタオルの効能とは別のものをそこに見て、げらげら笑ってしまう。げらげら笑いながら、キッチンタオルではとても拭えない〝老人の孤独〟を、〝老いの寂しさ〟を見てしまう。人生の暗部を、ふっとのぞいてしまったような気分になるんです

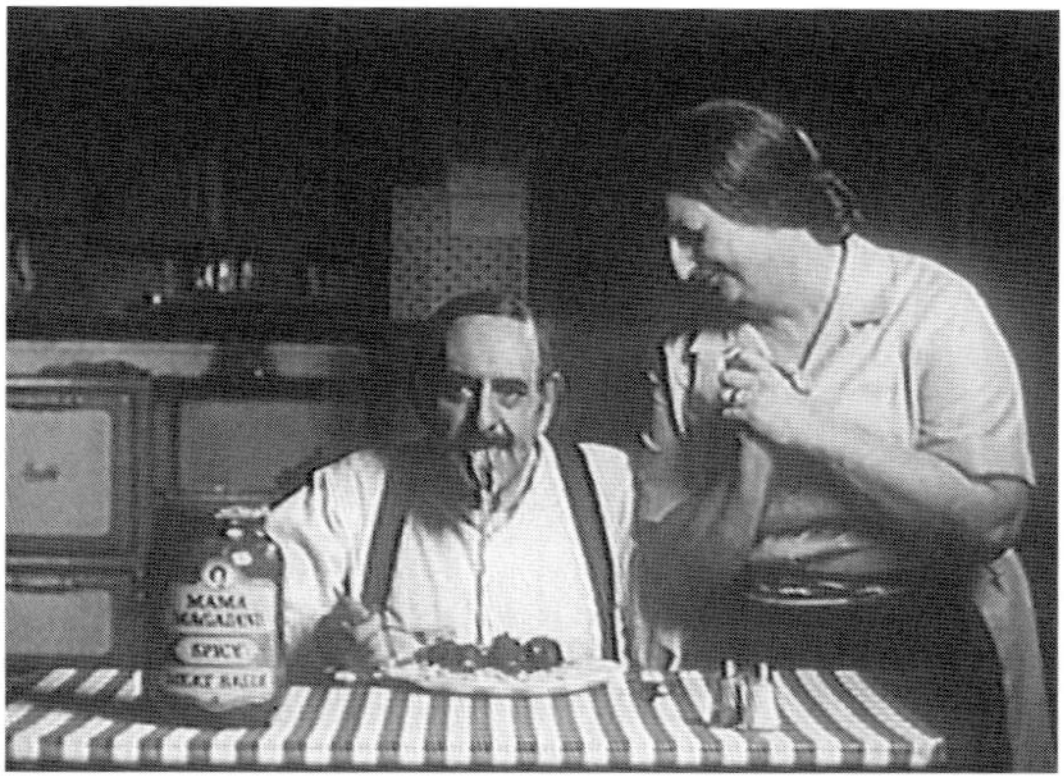

図 30　アルカ・セルツアーの CM

図 31　ヌーベル・キッチンタオルの CM

ね。

この、キッチンタオルと老人の孤独とは、一見関係はないけれど、どこかでつながっている。それは、月の上の宇宙飛行士とその向こうに見える地球とが、つながっていないように見えて実はつながっているのと、同じことだと言っていいでしょう。つまり、うしろに地球が見えることで、月面を歩く人間に、ぞっとするようなリアリティが生まれた。そこに人間のすばらしさを感じた人もいるでしょうが、神への冒瀆を感じた人もいるかも知れない。もちろん、NASAはそこまで計算していたわけではないでしょうが、結果として、そこから地球市民のイメージが生まれ、環境運動の気運も生まれてきた。広告のほうでも、環境広告というものが現れてきたのも、そのあたりからです。

すぐれたテレビCMは、商品の向こうに、まるで月の地平に浮かぶ地球のように、人間とか人生とかのイメージが、ぽっかりと浮かんでいるものです。

第一〇講　ハングリー？——二一世紀への送り状

日清カップヌードル「マンモス」編(1991 年)

二つのハングリー

荒涼とした原野を、右から左へ、ドシンドシンとマンモスが行く。そのうしろを、手に手に石の槍を持ち、奇声をあげながら追いかけてくる原始人の群れ。画面の左に彼らが消えたあと、一瞬の間があって、こんどは左から右へマンモスが行き、原始人の群れがそれを追いかける……。彼らが走り去ったあと、画面にドカーンとカップヌードルが現れ、荒々しい声が飛び込んでくる。

「ハングリー?――日清カップヌードル!」

一九九三年、年に一度のカンヌ国際広告映画祭で、日本から出品されたこのCMはグランプリを獲得しました。これが会場で上映されたとき、観客(主に世界各地の広告制作者たち)は総立ちになり、しばらく拍手がなりやまなかったそうです。

同じ年にこのCMは、世界的に権威のあるもう一つの賞、ニューヨーク・アートディレクターズ・クラブ賞の金賞もとっていますが、このマンモス編につづく十数本の〝ハングリー〟シリーズは、巨大な原始動物とおなかをへらした原始人の攻防戦をマンガチックに見せて、世界的なヒット・シリーズになりました。ちなみに海外では、アメリカ、イギリス、ドイツ、香港、フィリピン、ブラジルなどで放映されているそうです。

まるで、往年のスラプスティック・コメディのひとこまを見ているような、そんな趣向の面白さと、ディテールまで凝りまくったツクリの確かさと、そして何よりも、精密に再現された原始時代の巨大な動物を見る楽しさが、ここにはある。シリーズのなかのいくつかを、ちょっと見てみましょうか。

〈プロントテリウム編〉

右から左へ、子どものプロントテリウム。それを追って行く原始人たち。とつぜん悲鳴をあげて、左から右へ、原始人たちが逃げてくる。その後ろから巨大な親プロントテリウム。角を振り上げ、原始人たちを追って画面の右へ。その後から、子どものプロントテリウムがちょこちょこ走って行く。

〈メガテリウム編〉

山頂にあるメガテリウムの巣から顔を出し、ぴーぴー鳴くヒナのメガテリウムたち。エサをわしづかみにして飛んできた親メガテリウムが、ヒナたちにエサを。と、隣の山頂で、ヒナに見せかけてエサをねだる原始人たち。親メガテリウムは巨大な石を持ってきて、原始人たちの上にドスン！

〈ケツアルコアトルス編〉

果実がいっぱいの大きな木。原始人たちが木にハシゴをかけて果実をとろうとしていると、子どもを背負ったケツアルコアトルスが現れ、果実をみな食べて去っていく。ハシゴにすがったまま、ボーゼンと見送る原始人たち。と、果実を一つ両手で持ったケツアルコアトルスの子どもが帰ってくる。原始人たちにその果実を差し出した、かと思ったら、自分でむしゃむしゃ食

図32　日清カップヌードル，プロントテリウム編(1992年)，メガテリウム編(1993年)，ケツアルコアトルス編(1993年)

べてしまう。

このCMを作った大貫卓也さんは、「あの映像は、原始人のかっこをした一〇〇人の人を走らせて撮ったものと、人形で作った原始動物をコマ撮りしたものを合成したんです」と言っています。「昔のハリー・ハウゼン映画の〝シンドバット〟みたいな手法で、スピルバーグのような高度なやり方じゃない、もっとハリウッドっぽい、映画産業が元気だったころの異常な力みたいなものをうまく表現できないかと思ったんですね」

そんな面白さが、このCMシリーズには、確かにあります。が、最終的にこれをCMとして成り立たせ、そしてヒットさせたのは、最後に怒ったような声で入ってくる「ハングリー?」という言葉でしょう。マンガチックな画面の面白さに、思わず身を乗り出したその鼻っ先に、まるで天の声のように、「ハングリー?」という言葉が降りかかってくる。ちなみにあの声は、プロ野球のピッチャーで日本にきていたことのあるアニマル選手だそうです。乱暴が売りだった選手が乱暴に叫ぶんですから、なるほど、こわいはずですね。

それにしても、いまどきこの国にハングリーで死にかけているような人は、そうはいません。それどころか、この国は、世界でも有数の食べ残し大国であり、カラス天国です。だからこの国では、「ハングリー」なんて言葉は死語に近い。

しかし、地球全体でみると、いまもなお、飢えで死んでいる人が、たくさんいます。原始社会の人たちもハングリーだったでしょうが、それでも彼らには、マンモスがいました。が、いまはマンモスはいない。槍を持って荒野に出ても、そこはみな禁猟区です。「貧困は暴力である」とガンジーは言いましたが、貧困という暴力で殺されている人の数は、年々減るどころか、増えているのが実情です。

このCMの「ハングリー？」という言葉は、そういう人たちへの想像力を持とうよ、とぼくらに呼びかけてくる。そんなことわかってるよ、と言う人もいるでしょう。が、餓死寸前の難民の子を映し出したテレビから、そのすぐ後に「膨満感に効くザッツ！」なんてCMが流れても、ぼくらはその裂け目の深さに気づかなくなってしまっている。不感症になってしまっている。それが実態ではないでしょうか。

が、「ハングリー？」という言葉の射程は、実はもっと長い。あの「ハングリー？」という言葉のひびきのなかに、「オナカはいっぱいでも、ココロはどうなんだ？」と問いかけてくる声を感じた人も、けっこういるはずです。そう、ハングリーというのは、別に胃袋だけの問題じゃない。ココロの問題でもあるんですね。

カンヌの国際広告映画祭で、このCMに大きな拍手を送ったいろんな国の人たちも、おそらく、そのことに共感したのではないかと思います。もちろん、エンターテインメントとしての出来栄えのよさに、みんな拍手をした。と同時に「ハングリー？」という言葉のひびきのなかに、いまという時代を生きる人間として共振する何かを、自分のなかに感じた人も多かったと思うのです。

そう、二〇世紀末のこの地球は、貧しさによるハングリーと、豊かさが生み出したハングリーの、二つのハングリーにすっぽりおおわれていると言っていいんじゃないでしょうか。

飽和した物質文明

「現代人は技術文明の上では巨人になったが、芸術文化の面ではでくの坊になった」

と、ルイス・マンフォードは言っています。

一九〇〇年のパリ万博ですばらしい技術文明の産物に目を奪われ、それを手に入れようとシャニムニ突っ走ってきた結果、先進国の人たちはおおむね、技術文明の産物を装備した〝巨人〟になりました。

もし一九世紀の人が、ケータイで遠く離れた友だちとペチャクチャしゃべりながら歩いている女子高生を見たら、超能力者だと思うに違いありません。まさに技術文明の巨人がそこを歩いている。が、近寄って彼女たちのおしゃべりを聞いたら、これが高校生の会話かと、その幼稚さにもう一度びっくりすることでしょう。私的なおしゃべりだから、別に小むずかしい議論や気取った会話でなくていい。他愛のないおしゃべりでもいい。が、そこにやはり、高校生らしい知性とかセンスとかが少しはあっていいと思うんですが、ほとんどそれがないんですね。

実は、これは高校生だけの問題ではないのですが、彼女たちがケータイで話しながら歩いている姿を見ると、まさに、文化的でくの坊をおんぶした技術文明の巨人の生きた標本が歩いている、といった感じがしてきます。

昔は逆でした。江戸時代に大衆文化の大きな花を咲かせたこの国の人たちは、技術文明の上ではでくの坊かも知れませんが、芸術文化の面ではりっぱな巨人、といったような人たちが多かった。それが一八〇度転換してしまったわけですが、それだけの逆転劇がほぼ一世紀のあいだに起こったということは、長い人類の歴史のなかでも二〇世紀が爆発的な変化の世紀だったことを証明していると言っていいでしょう。

その爆発的な変化はいろいろな数字になって現れています。

たとえば、爆発的な人口の増加。有史以来、この地球に生存してきた人類の総数の約二五％に当たる数の人間が現在生きている。

あるいは、爆発的な科学技術の進歩。これまでに生存した科学者全体の約九〇％に当たる科学者が、現在も生きている。

あるいは、爆発的な戦死者の増加。二〇世紀の一〇〇年間に戦争で死んだ人の数は、トロイ戦争から一九世紀までの戦争で死んだ人の総数に、ほぼ匹敵するのではないかと言われている。

あるいは、爆発的な産業構造の変化。一九〇〇年には働く人の五〇%近くを占めていたこの国の第一次産業の従事者が二〇〇〇年にはわずか五%に激減。逆に第三次産業で働く人の数は六〇%をこえている。

こうした例は、いくらでもあげることができますが、ま、イメージとしては、一世紀から一九世紀まで、少しずつ右上がりにつづいてきたすべてのグラフの線が、二〇世紀になったとたん、鯉の滝登りを思わせるような垂直線になって上がっていった、と思えばいいんじゃないでしょうか。

そんな爆発的変化を示す数々の指標のなかで、とくに二〇世紀を特長づけるものは、「人口の増大→欲望の爆発」と「科学技術の進歩→テクノロジーの発展」の二つでしょう。テクノロジーの発展は、一方で一九世紀末から台頭してきたナショナリズムと結びついて大量殺戮兵器をつくり出すことになるのですが、一方で欲望の爆発と一体になって、高度産業社会と高度消費社会のシステムを生み出しました。

そのシステムは、自己増殖をしながら巨大化し、巨大化することで必然的に暴力化していきます。自分たちが操っているつもりのテクノロジー社会に、ぼくらは逆に操られていくことにもなるのですが、とにかくそのプロセスで、ぼくらは暮らしを機能化し、余暇を快適化する商品やサービスを手にするというプラス面と同時に、すべてをキャッシュに換算するような〝カネ本位制〟の価値観を、すっかり身につけてしまったような気がします。

戦後の僕自身の体験に即して言うと、一九五〇年代後半から一九六〇年代の十数年間は、都市化が猛スピードで進み、大量生産と大量消費の歯車がビュンビュンとフル回転をはじめたような、そんな実感のあった時期でした。当時のぼくらは、まるで何かに憑かれたように働き、カネをかせぎ、次から次へモノを買いあさった。そのエネルギーは、とにかく、ものすごいものでした。

話はとつぜん飛びますが、吉幾三の「俺ら東京さ行ぐだ」という歌を知ってますか。

テレビも無エ　ラジオも無エ
クルマもそれほど走って無エ
ピアノも無エ　バーも無エ
お巡り　毎日ぐーるぐる
朝起きで　牛連れで
二時間ちょっとの散歩道
電話も無エ　瓦斯も無エ
バスは一日一度来る

俺らこんな村いやだ
俺らこんな村いやだ
東京へ出るだ　東京へ出だなら
銭コア貯めで　東京でベコ(牛)飼うだ

この歌がはやったのは、さっきの話よりはだいぶあとの一九八〇年代です。吉幾三さんはあの六〇年代をふり返り、とことん茶化して歌っているのですが、この歌を聞いたとき、「ああ、あのころのエネルギーって、ホント、こんな感じだったな」と思ったのを、いまでもぼくはおぼえています。

そんなエネルギーが、あっと言う間に、「テレビもある、ラジオもある、クルマもいっぱい走ってる」という豊かな社会をつくり出していったのですが、この歌に出てくるのは、圧倒的に〝モノ〟です。それも、テレビやラジオやクルマやピアノやステレオやレーザーディスクや、といったふうに、高度な技術文明の産物が多い。〝モノ〟でないのは、喫茶とか集いとかカラオケとか、それくらいのものですね。つまりあのころのぼくらは、芸術文化の面ではでくの坊でも、技術文明の上では巨人になる直線コースを、ハイウエイを、まっしぐらに突っ走っていたということになるでしょう。

だが、そんな物質的繁栄を追求する動きにも、ブレーキがかかる。物質文明の飽和がそれです。日本の場合で言うと、まず、バブルが崩壊した。さらに、モノがあふれてこれ以上何がほしいのかわからなくなった。そして、物質文明の排泄物が環境を壊しはじめた……。

とりわけ環境問題が、物質文明の暴走にブレーキをかけた力は大きかったと言っていいでしょう。NASAのところでも言ったように、〝地球市民〟の誕生と〝環境運動〟の台頭は、表裏一体の関係にあります。環境問題は、一九七〇年代に公害問題としてはじまり、やがて、大気汚染による地球温暖化という地球レベルの問題にひろがっていく。一九九七年に地球温暖化防止京都会議で採択された「京都議定書」は、地球を守るために国際社会がとりきめた約束事であり、ギリギリのガイドラインだと言っていいでしょう。

生活は〝最高限〟を求めつづけ、生存はつねに〝最低限〟が問題になる。豊かな生活の最高限を人々が追いつづけてきた結果は、人類が生存するための最低限の条件が、ガラガラ音を立てて崩れはじめた、ということでしょうか。二酸化炭素による地球温暖化の危険は、一九世紀の末に一部の学者のあいだでささやかれてはいましたが、一〇〇年後の二〇世紀末には、それが「地球にやさしく」「地球を救え!」「地球は小さな宇宙船」といったさまざまなスローガンになって、地球上のあちこちでシュプレヒコールされるようになったのです。

〝いま〟に共振するセンス

前にも少し言いましたが、広告は企業にとっては販売促進の手段ですが、消費者にとっては商品やサービスについてのニュースです。広告のつくり手たちは、生産者からあずかった商品やサービスを、消費者向けのニュースに仕立てる仕事をしているわけで、その〝ニュース化〟がうまくいけばいくほど、その商品やサービスを世の中の話題にしたり、評判にしたりすることができる。そのぶん、販売の役に立つことにもなります。

そんなジャーナリズムの基本的で古典的な役目は、〝見張り〟の機能と〝批評〟の機能です。ここで言う〝見張り〟とは、外界に起きている出来事をいつも見張っていて、人びとにかかわりのある出来事は素早く知らせること。〝批評〟の機能とは、出来事を単に知らせるだけでなく、その出来事をどう受け取ったらいいか、そんな批評的視点を一つ加えることで、人びとの判断に役立つような手助けをすること、と言えばいいでしょうか。

〝見張り〟や〝批評〟に必要なのは、なんと言っても、ジャーナリスティックな感覚です。時代の〝いま〟に共振するセンスです。人びとはいま、何を知りたがり、何を欲しがっているか。そんな同時代の〝空気〟や〝気分〟と共振する感覚を持っていなければ、ズレた見張りになってしまう。ピンボケの批評になってしまう。

二〇世紀も終わりに近づく一九八〇年代から一九九〇年代のヒット広告には、そんな意味で、バブル崩壊後の世間の空気や気分が、ジャーナリスティックに映しとられています。

たとえば、一九八二年、西武百貨店の「おいしい生活」は、ウディ・アレンを広告キャラクターに起用して、こう書きました。

たくあんひと切れと、松坂牛のステーキと、実はどっちもおいしいわけで。豪華客船に乗っての世界一周旅行と、ちょいと近くの温泉へなんて旅とでは、やっぱりどっちもおいしそうなわけで。そんなはずはない、なんて言う人もいるかもしれないけれど、要はキモチの問題であると、思うんですね。おいしさには、順位がない。そこが、イイと、思うわけで。だから、「おいしい生活」というのは、とても近いところにも、遠いところにもあるはずなのです。西武、地下から屋上にいたるまで、おいしさの素がいーっぱいありますよ。

ここには、〝豊かな生活〟から〝おいしい生活〟へ、時代はもう変わっているみたいだよという、見張りの目が生きています。ものごとの価値はタテに並んでいるんじゃない、ヨコに並んでいるん

図 33　西武百貨店「おいしい生活」(1982 年)

だという主張ですね。それはまた、すべてをキャッシュに換算するような生活からの脱出のススメでもあるでしょう。広告のキャラクターが、カッコいい美男スターではなく、一見しょぼくれたニューヨーカーのウディ・アレンであることも、〝おいしい生活〟のイメージをそのまま体現している人のように思えて効果満点でした。

あるいは、一九九〇年にはじまったJR東海の「そうだ、京都行こう」というキャンペーンも、そんな一例です。

コピーは、「そうだ、京都行こう」だけ。あとは映像が、そのときどきの京都の見どころを歩くような速度でとらえているシリーズですが、ここでは、ぼくら日本人が「二〇世紀特急」に乗り急いだあまり、うっかり一九世紀に置いてきてしまった忘れ物があることを、見張りが教えてくれています。で、どうもその忘れ物は、京都に行けば見つかるかもしれない、というわけですね。バブルの夢がはじけたあと、何か大切なものを失っていることに気づいたような時代の気分を、このシリーズはみごとに映しとっていると言っていいでしょう。

ちなみに、東大をめざして代ゼミに通っていた予備校生が、このCMシリーズを見て「そうだ、京都行こう」と志望を京大にかえ、みごと合格して京都へ行ってしまったという手紙を、その学生のお母さんからもらったことがあります。

それはこの広告の本来の目的とは違うなんて、野暮なことを言ってはいけません。時代の〝いま〟に共振するものを持ったCMは、広告のねらいを越えてイメージの翼をひろげていく。そんな表現の構造を図にしてみると、正方形とそれに外接する円で表すことができます。

なかの正方形は、商品の主張ですね。それは言葉で説明できるスクェアなものです。が、それだけをいくら叫んでも、表現にはならないし、相手にも届かない。で、その正方形と接しながら、しかも正方形からハミ出していくような表現の部分が、受け手の心をとらえ、ひいては、正方形の部分にも目を向けさせる働きをするんですね。その円が、正方形に内接するようなものでは、ぜんぜん表現としてはつまらない。かと言って、正方形との接点を無視して外に広がりすぎても、表現としては面白いかもしれないが、広告にはならないと言っていいでしょう。

「ハングリー?」もまた、外へのイメージの広がりを、たっぷり持った広告の好例です。このCMシリーズは、リクツ抜きに見て楽しいエンターテインメントを持っていますが、それと一緒に、

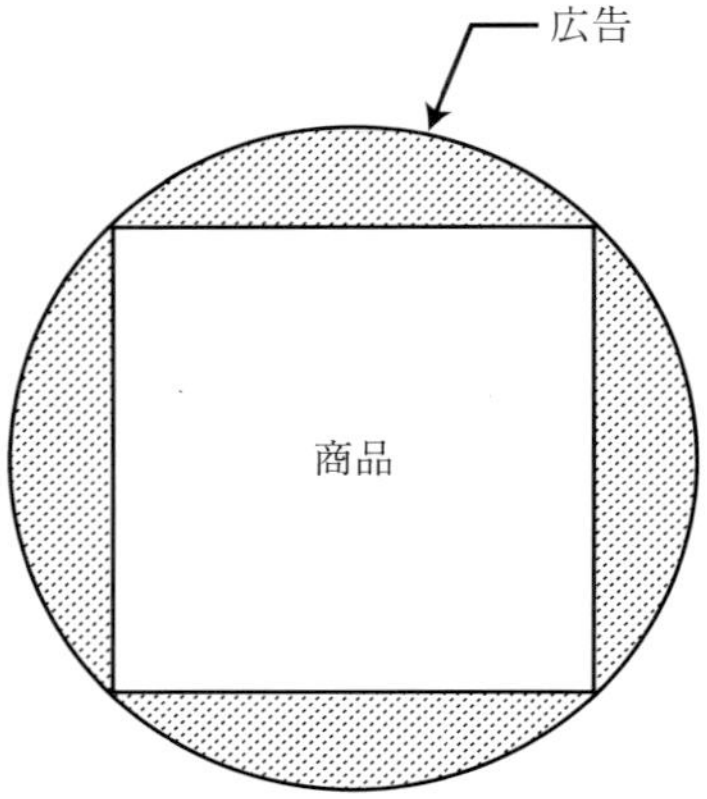

図 34　商品と広告の関係

足早に去ろうとしている二〇世紀へのちょっぴりきびしい送別のメッセージを持っている。そのメッセージをまた、きわめて二〇世紀的な産物であるインスタント食品のCMが言っているところが、皮肉でもあり、楽しくもあるところなのです。

ハングリーを克服するための一〇〇年だったはずの二〇世紀が、そのハングリーと一緒に、もう一つのハングリーを二一世紀に送りつけてしまったのではないか。原始人と一緒にヘラヘラ笑いながら、このCMはぼくらにそう問いかけているんじゃないでしょうか。

補講　広告の明日——二〇世紀は終わったのか

航空機によるテロによって崩壊するニューヨークの世界貿易センタービル(2001 年，撮影：小宮忠幸)

変わらぬ戦争宣伝

戦争という愚行だけは、二〇世紀で終わってほしい。そんな甘い期待は、二一世紀に入った最初の年に、たちまち裏切られてしまいました。

二〇〇一年九月一一日、ニューヨークを中心に起こった同時多発テロがそれです。犯人たちにハイジャックされた四機の大型ジェット機が、二機はマンハッタンの世界貿易センターに、一機はワシントンDCの国防総省に突っ込み、残りの一機はワシントン郊外に墜落して、死者・行方不明者推計三二五八人という大惨事を引き起こしたのです。

犯人はオサマ・ビンラディン氏が率いるアラブの過激派らしいということになったのですが、この犯罪をアメリカのブッシュ大統領はあえて〝戦争〟と呼び、アメリカはただちに報復戦争に踏み切ると宣言しました。

これまでの常識で言えば、テロは戦争ではない、犯罪です。犯罪なら報復はできません。が、アメリカにしてみれば、はじめて本土が攻撃された体験をしたようなもので、報復の是非は別として、これを〝戦争〟と感じたのは無理もないような気がします。その戦争は、これまでのような国家と国家のあいだの戦争ではない。国家の見えない戦争です。二〇世紀型の戦争ではなく、二一世紀型の戦争がはじまった、ということでしょうか。

それはともかく、この〝戦争〟勃発の光景は、なんとテレビのナマ中継で世界中に伝えられました。一機目の飛行機が世界貿易センターに突っ込んだ瞬間はナマではありませんでしたが、かけつけたテレビ各社のカメラが黒煙をあげているビルを中継しはじめたところへ、二機目の飛行機が突っ込んできたのです。

それだけではありません。モクモクと黒煙をあげているビルをテレビが映しているうちに、とつぜんビルが崩れはじめた。で、アメリカの経済力の大きさを象徴するあの巨大なビルが、轟音とともに跡形もなく消えてしまったのです。その一部始終をぼくはテレビの前で見ていましたが、いま目の前で起きていることが、信じられなかった。で、ほとんど言葉を失ったまま、ぼくはテレビの前にすわりつづけていました。

が、それから半日くらい、繰り返し繰り返しテレビから流れてくる自爆シーンの映像を見、これが犯人たちの黒幕だと言って何度も何度も流されるオサマ・ビンラディン氏の資料映像を見ているうちに、これはもうニュースではない、こんなに同じものが繰り返されるということは、ある種のCMであるように、感じられてきたのです。飛行機がビルに突っ込むシーンがあんなに何度も繰り返し映し出されたら、大人はアクション映画の一シーンをみているような気になった(つまり当初の痛みを感じなくなった)でしょうし、小さい子はきっと、飛行機が何機も何機もビルに突っ込んだのだと思いこむでしょう。それはもう、ニュース映像とは言えない別のものです。

ぼくはそれを広告と感じたのですが、繰り返し流れる自爆シーンとビンラディンの映像がいったい何を広告していたかと言えば、〝非道な仕打ちを受けたわがアメリカ〟であり、〝残虐なアメリカの敵〟です。で、この二つの映像がセットになって、「生死にかかわらず、この男を捕まえろ」という〝ウオンテッド広告〟になっていたと言っていいでしょう。

その後、アメリカのアフガニスタン攻撃がはじまると、日本のテレビ各局は一転、家を失った可哀想なアフガンの子どもたちを映すようになる。自爆シーンに代わる衝撃的な映像が手に入るようになったからであって、別に政治的な意図はないのでしょうが、これが結果的には、〝非道な仕打ちを受けたアフガンの民衆〟と〝残虐なアメリカ〟の広告になった。さらに、アメリカのテレビに現れたブッシュ大統領が、「テロを撲滅するまで断固戦う。各国は、アメリカにつくかテロにつくかだ」と大見得を切れば、カタールのニュース専門テレビ局アルジャジーラを通して、ビンラディン氏がクールな口調でアメリカを批判する映像も流れてくる。そんなテレビを見ていると、まさに現代の戦争は情報戦争、広告戦争であり、それを制したものが世界を制することになるんじゃないか、という感じがありました。

が、戦争宣伝という面から見ると、世紀が変わっても、戦争の質が変わっても、そのやり方はほとんど変わっていません。アンヌ・モレリという人によると、戦争を広告する方法は、第一次大戦のころから、何ひとつ変わっていない。そこにはつねに〝一〇の法則〟が見られると言っています(永田千奈訳『戦争プロパガンダ10の法則』草思社)。で、これがなかなか面白い。

もともとこの本が言う〝一〇の法則〟は、モレリのオリジナルではない、イギリス貴族の出身でありながら、労働党の議員になったアーサー・ポンソンビーという異色の平和主義者が、第一次大戦下のイギリス政府の戦争宣伝がいかに多くの嘘に満ちていたかを暴こうとして考え出した法則なんですね。その〝一〇の法則〟を、モレリは第二次大戦から「九・一一以降」まで、あらゆる戦争のケースに当てはめて、具体的に例証した。くわしいことは、その本を見てほしいと思いますが、ここでは、戦争のときに国家元首が必ずとなえるという〝一〇の法則〟を列記しておきましょう。

(1)「われわれは戦争をしたくない」
(2)「しかし敵側が一方的に戦争を望んだ」
(3)「敵の指導者は悪魔のような人間だ」
(4)「われわれは領土や覇権のためではなく、偉大な使命のために戦う」
(5)「われわれも誤って犠牲を出すことがある。が、敵はわざと残虐行為に及んでいる」
(6)「敵は卑劣な兵器や戦略を用いている」
(7)「われわれの受けた被害は小さく、敵に与えた被害は甚大」

(8)「芸術家や知識人も正義の戦いを支持している」
(9)「われわれの大義は神聖なものである」
(10)「この正義に疑問を投げかける者は裏切り者である」

太平洋戦争のとき、小学生だったぼくは、ここに並んだ言葉をほとんどすべて聞かされた記憶があります。で、ブッシュ大統領も、「九・一一以降」の対テロ戦争で、ほとんどこの通りのことを言っています。だいたい、こんどの戦争のタネそのものが二〇世紀から持ち越されたものですが、戦争のカタチは変わっても、戦争宣伝の法則はまったく変わらない。暦の上では二一世紀になっても、世界はまだ二〇世紀をやっているんですね。

身の丈サイズの社会

テロを生む土壌の一つに、貧困があります。二〇世紀は一方でめざましい〝繁栄〟を生み出しましたが、その一方でおぞましい〝貧困〟を生み出した。経済と金融の〝グローバリゼーション〟は、その二極分化を推し進めた象徴的な動きと言っていいかも知れません。

グローバリゼーションは、冷戦が終わることで加速され、一九九六年のサミットではこの言葉がキーワードになるところまで大きな問題になりました。で、それがもたらした負の側面というか暴力的な側面、たとえば、発展途上国の貧困や環境破壊といったテーマが、大いに論議されました。が、そうしたことが大きな国際問題になるよりずっと前、一九七〇年代の半ばに、そうした問題に警鐘を鳴らしていた人がいます。ドイツ生まれの異色の経済学者であり、“Small is Beautiful”の著書でも有名なE・F・シュマッハー(一九一一—七七年)です。

彼は、資本主義や社会主義という体制をこえた現代の産業社会のビョーキを、鋭く指摘すると同時に、産業社会をつくりかえていく道を模索しつづけてきました。とくに彼が問題にしたのは、産業社会の原動力である現代のテクノロジーがとめどなく巨大化していくことの危険についてでした。

いまのわれわれとしては、テクノロジーを放棄するのではなくて、テクノロジーがどこかで方向を誤ったことに思い当たらなければならない。使い捨てても惜しくないような価格の化石燃料が存在したことから、テクノロジーは四つの方向に道を誤ったと私は考えています。

と、シュマッハーは言って、テクノロジー一〇〇年の四大傾向を、次のように指摘しました(長洲一二監訳・伊藤拓一訳『宴のあとの経済学』ダイヤモンド社)。

(1) 巨大化:すべてのものがどんどん巨大になっていく。一九世紀の平均的なレンガ工場なら、一週間に一万個のレンガを製造したものだが、二〇世紀のはじめには一週間に一〇万個、そしていまでは一〇〇万個から二〇〇万個のあいだになっている、とシュマッハーは言っています。

(2) 複雑化：ものがどんどん複雑になるようにつくられていく。なぜ歯磨に〝味つき三色チューブ入り〟が必要なのか。なぜクルマの内部やオーディオ装置にあれほど複雑な機能が必要なのか。ものを複雑にするために投入されている独創性は、いまや想像を絶するものがある。

(3) 資本集約化：何をするにも多くのカネと力がなければならない。その打撃をいちばんまともに受けるのは貧しい国だ。それなら貧しい国は豊かな国から輸入すればいいではないかと言う人たちもいるが、その結果は、貧しい国が自立するどころか、かえって依存性を増すことになっている、とシュマッハーは言っています。これこそまさに、グローバリゼーションの負の側面の一つでしょう。

(4) 暴力化：テクノロジーは戦争という暴力をエスカレートさせてきただけではない、地球上のすべての生命を守っているオゾン層に向かって大量の毒物を投げ捨てたり、特効薬という副作用の強い薬物でたくさんの人を殺したり、すべての分野にテクノロジーの暴力化が進んでいる。

こうしたテクノロジーの暴走に歯止めをかけるには、どうすればいいのか。それには、人間の身の丈に合ったもう一つのテクノロジー(中間テクノロジー)を創造することだ、とシュマッハーは言っています。単なる理想論としてとなえていたのではありません。発展途上国やヨーロッパの一部で、彼は自分の「中間テクノロジー論」を現実化するためのさまざまな実験をつづけました。その途上で、彼は急死してしまった。で、彼の提唱した「中間テクノロジー」は、グローバリゼーションの奔流のなかに飲み込まれてしまったのですが、そのグローバリゼーションの暴力面があらわになったいまこそ、真剣に見直されていいテーマではないかと、思います。まさに、二〇世紀を終わらせるための、二一世紀的テーマだと言ってもいいでしょう。

「いま世界全体が必要としているのは、大量生産ではなく、大衆による生産だ」というガンジーの言葉を、シュマッハーはよく引用しています。「大衆文化」が「大衆のための文化」ではなく「大衆による文化」でなければならないのと同じように、「マスプロダクション」は「大衆のための生産」ではなく「大衆による生産」でなければ困るのです。

広告の明日

テクノロジーの暴力化と歩調を合わせるように、広告もまた二〇世紀のあいだに、とりわけその後半に、どんどん暴力化していきました。が、それもいま、大きな壁に突き当たっている。変わらざるをえなくなってきている。広告の明日はどうなるか。それはまだ霧の中ですが、補講の最後に、ぼくなりに考えている「広告の昨日・今日・明日」を、簡単にお話しして終わりたいと思います。「この一〇〇年のあいだに広告はどう変わったか」とか、「二一世紀に広告はどうなっていくか」といった質問をされることがあります。世紀の変わり目のせいで、最近はとくに多い。

で、そのたびにぼくは、「この一〇〇年どころか、一〇〇〇年前から、いや、もっと大昔から広告は何ひとつ変わっていないし、これからも変わらないだろう」と答えてきました。

別に相手を驚かそうとして言っているのではありません。数年前、ポンペイの遺跡に残っている壁広告を見てきましたが、あれといまの広告とでは、何ひとつ変わっていないのです。

大昔の話は別としても、たとえば「きんぎょ〜、え〜、きんぎょ〜」と路地を流して行く金魚売りの声と、「ドンタコス、ったら、ドンタコス」とソンブレロをかぶった男が通りを歩いていくドンタコスのテレビCMのあいだには、なんの違いもありません。「ドンタコス」もうまい広告ですが、「金魚売り」の売り声もそれと同じくらいに、いや、それ以上にうまい広告だと思います。

そう、もし広告が変わったとしたら、それは昔より「へたになった」とか「つまらないものが多くなった」ということでしょうか。同じ広告企画でも、「東南アジアの遺跡めぐり一〇日間の旅」より、数百年前に考案された「お大師さんと行く四国八十八カ所めぐり」のほうが、パッケージツアーとしてずっと魅力的だし、「毎月二六日はおふろの日」も悪くありませんが、平賀源内が考えたという「土用の丑の日はうなぎの日」のほうが、やっぱり説得力があるんじゃないでしょうか。

もちろん、昔はよかったなんて言うつもりはありません。昔もひどい広告はあったし、逆にいまの広告にいいものもある。先日も仕事で、戦後の代表的な新聞広告をいっぺんに見る機会があったのですが、「こんにちは、土曜日くん」(伊勢丹)とか、「おいしい生活」(西武百貨店)とか、「プール冷えてます」(としまえん)とか、「私たちの製品は、公害と、騒音と、廃棄物を生み出しています」(ボルボ)とか、面白いものがたくさんあることに、あらためて驚きました。広告は、昔にくらべて決してよくはなっていないが、そんなに悪くもなっていない、つまりは、何も変わっていないというところに、やはり、話は落ちつくのでしょう。

で、昔もいまも、面白い広告に共通しているのは、時代の空気や気分を記録している〝ジャーナリズム表現〟としての魅力です。広告の送り手にとっては、あくまで広告は人びとの欲望を引き出し(あるいはつくり出し)、それを通して商品やサービスを売るための手段ですが、受け手にとってはそんなことは関係ない。その商品やサービスが、自分たちの日常生活をどう変えてくれるのか、自分たちにとってどんなトクがあるのかを知るためのものであるわけですね。とすれば、広告は、商品やサービスを単に説明していたり、自画自賛していたりしても、受け手の目を引き寄せることはできない。人びとのいまの生活とその商品やサービスとのかかわりを、両者の〝ありうる関係〟を、生き生きと表現することが必要になります。その結果として、広告は、時代の人びとの欲望の映し絵になり、時代の気分や空気の生きた記録になると言っていいでしょう。

反骨のジャーナリスト・宮武外骨の『文明開化』は、明治初期の日本社会を知るのに貴重な資料ですが、この本を外骨は、自分は一行も文章を書かず、当時の新聞の三面記事と、裁判記録と、それに当時の広告を並べることで、一冊の本にまとめました。三面記事と裁判記録だけでなく、そこに広告を入れることで、時代がくっきり見えてくると見たところに、〝ジャーナリズム表現〟として広告をとらえている外骨の目の確かさがある、とぼくは思っています。たしかに、三面記事と裁判記録だけでも、世間の出来事を知ることはできます。が、そうした出来事を包みこんでいる時代の空気や人びとの気分は、三面記事や裁判記録よりも、広告にいちばん生き生きと記録されている。それが時代をこえて変わらない広告の本質だろうと思うのです。

二〇世紀的広告の終わり

〝広告の明日〟についてこう答えると、たいてい、こんな質問が返ってきます。

「でも、昔は新聞広告やテレビCMはなかった。それにこれからは、インターネットを使った広告が爆発的にふえるだろうと言われている。これは大きな変化とは言えないのか」

たしかに、広告そのものは変わらなくても、広告を運ぶ乗り物、つまりメディアは、昔から見れば大きく変わりました。いちばん古いメディアは、人間の声でしょうね。古代の呪術師は呪文をとなえることで〝目に見えない世界の力〟を広告したし、宮廷の語り部たちは国の歴史を美化しつつ後世に広告する役目を果たしてきました。やがて文字が発明されると、王の業績の偉大さや神の恩恵の深さを広告するメディアとして岩や粘土や紙が登場してくる。が、広告で文字が大きな働きをするようになるのは、やはり、一五世紀にグーテンベルグが印刷術を発明してからだと言っていいでしょう。

が、広告のメディアが、劇的な変化をとげるのは、なんと言っても、二〇世紀になってからのことです。いわゆるマスメディアの出現で、広告そのものは変わらなくても、広告のカタチは大きく変わりました。シュマッハー流に言えば、産業社会と同じように、広告のカタチもまた、巨大化し、複雑化し、資本集約化し、そして暴力化してきた。そのことで、産業社会がニッチもサッチもいかなくなってきたのと同じように、いま広告も、このままではどうにもならないようなところにきているように思います。

まるでマンモスのように巨大化し、身動きのとれなくなってしまった〝二〇世紀的社会〟を、どう壊し、どうつくりかえていくか。シュマッハーはそれを〝中間テクノロジー〟というアイデアでやれないかと考えたのですが、インターネットの出現は、それとかなり重なり合うものがあると、ぼくは感じています。

「電子技術が進めば進むほど、社会の原始化が進んでいく」とマクルーハンは言いましたが、テレビの普及以来、たしかに地球は小さくなった。で、究極的には、地球は一つの村になるという方向に向かっているように見えます。そんな社会では、近代的な国家とか産業組織とかが崩壊し、人は昔のような部族社会に戻って行くようになる。そんな空気をつくり出しているのは、テレビというメディアであり、それ以上に、インターネットというメディアではないでしょうか。インターネットの世界を支えているのは、国家といった二〇世紀的なタガにしばられない、一種の部族社会的な連帯感情ではないかと思うのです。一九九八年、NATO軍の激しい空爆の下で、ユーゴの首都ベオグラードに住む一人の女子学生が、インターネットで世界中の人たちと対話をつづけていたドキュメンタリー番組（NHKスペシャル「空爆の下の対話」）がありましたが、ああいうものを見ると、近代国家という壁がいかに意味のない虚構であるかが、はっきり見えてきてしまうんですね。

身近なところでも、インターネットの普及は、生産や販売のカタチを変え、流通のカタチを変え、コミュニケーションのカタチを変え、その他、さまざまなもののカタチを変えつつある。で、それは広告のカタチをも、当然のことながら、変えようとしています。二〇〇五年には、GNPの半分近くが、インターネットによる取引きになるだろうという予測さえあるくらいです。

げんに、インターネット広告は、いま急速にふえつつあります。一口にインターネット広告と言っても、プロフェッショナルなものからシロートのお遊び的なものまで、その中身は多種多様で、しかも、そのすべてを押さえることなどはとてもできませんが、インターネットというメディアの出現によって、広告のカタチが大きく変わってきていることはたしかです。

一口に言って、インターネット広告は、情報を個人化し、言葉をムラ化する。つまり、ほとんどの情報が個人的な関心や気分のレベルに分解されていることと、使われる言葉が書き言葉的で意味重視の〝マチ〟型の言葉ではなく、話し言葉的で気分重視の〝ムラ〟型の言葉が多いことでしょう。

話は変わりますが、一九一九年(大正八)の新聞に、こんな広告がのっています。

今月十七日の夜る八丁堀より神田おたま橋まで人力車で参りますと道普請で車は通れませんから車を下りて紺屋へまいり用をたして帰ると待たせて置いた人力車がありませんから度々よびましたが分かりませんそれゆえ車賃をやらずに帰りましたが何処の人力屋さんかどうぞ私のうちへ代をとりに来て下さいまし。北新堀町十一番地絵草紙や永峯平兵衛

もう少し前、二〇世紀の最初の年、一九〇一年(明治三四)の新聞には、こんな広告ものっていました。

養子。人物には申し分なきも酒量は毎日独酌二升は軽し。お金のある後家の処へゆきたし。

もともと新聞広告は、こうした個人広告から始まったとも言えますが、世の中が近代化されていくにつれて、こうした広告はどんどん新聞から振り落とされていき、広告は金力と権力を持った人たちの専有物になっていきます。で、いまやこのテの広告は、新聞にはほとんど見られなくなってしまったのですが、インターネット上に現れるさまざまな広告（個人が開いているホームページも大半は自己広告だと言っていい）を見ていると、昔の個人広告がタイムスリップしてきたんじゃないか、という感じを受けることがあります。

それはともかく、インターネット広告をあれこれ見ていると、二〇世紀の広告を成り立たせてきた基本的な要件が、どんどん崩れつつあることに気づかされます。

崩れつつあるものの第一は、長いあいだつづいてきた、送り手と受け手の固定的な関係です。そのきざしはかなり前から現れてはいましたが、インターネットの普及で、その固定的な関係は決定的に変わる。そこでは、送り手と受け手の関係はつねに入れ替わり、だれもが送り手であると同時に受け手でもあるような流動的なものになっていきます。だれもが広告主になれるし、広告代理店はメディアの代理店でも企業の代理店でもなく、消費者の代理店になっていくことになるでしょう。

崩れつつあるものの第二は、広告の〝暴力性〟です。新聞や雑誌を開いても、町を歩いても、電車やバスに乗っても、広告はぼくらの目に飛びこんでくる。とくにひどいのはテレビのＣＭで、こちらの意志とは関係なしに、一方的にメッセージを押しつけてきます。そんな量的な暴力と見せ方の暴力の上に、二〇世紀の広告は成り立ってきたと言ってもいい。つまり、暴力的であることで、広告を広告として成り立たせてきたのです。

が、その点、インターネット広告は、見る人が自分から働きかけない限り、出会うことはない。そこが決定的に違います。これまで広告を支えてきた〝暴力性〟を捨てて、それでもなお、広告は広告として成り立つことができるかどうか。そこがインターネット広告にとってのいちばん大きな課題であり、パリ万博ではじまった二〇世紀を本当に終わらせることができるかどうかの、一つのカギになるのではないでしょうか。

おわりに

二〇〇〇年から二〇〇一年にかけて、明治学院大学の国際学科で、広告論の講義をしました。この本は、その講義録に手を加えて一冊にまとめたものです。

だからまず、ぼくに講義をするようにすすめてくれた同大学の加藤典洋さんと、ぼくの講義に熱心につきあってくれた学生のみなさんにお礼を言いたい。

それから、「広告批評」という雑誌づくりの場で、一緒に広告を考えつづけてきた島森路子さんと編集部の面々、それに、おしゃべりや本を通じてまわりから知的な刺激を与えつづけてくれた先輩や友人たちにも、この際、心からお礼を言いたいと思います。そして、講義録を本にする上で、いろいろ力を貸してくれた岩波書店の坂本政謙さんにも。

思えば、一九五〇年代の終わりからいままで、半世紀近く広告とつきあってきたぼくの、これは広告についてのささやかな決算報告、いや、決算広告みたいなものです。

二〇〇二年夏

天野祐吉

天野祐吉

コラムニスト・童話作家.
1933年東京生まれ. 創元社, 博報堂などを経て独立, 1979年に「広告批評」を創刊する. 同誌の編集長, 発行人を経て, 現在は主にマスコミを対象とした評論やコラムを執筆, またテレビのコメンテーターとしても発言している.
主な著書に,「広告みたいな話」「嘘八百」「天野祐吉のCM天気図」「ゴクラクトンボ」「見える見える」「おかしみの社会学」「嘘ばっかし」など多数. 絵本に,「くじらのだいすけ」「ぬくぬく」「絵くんとことばくん」などがある.

日本音楽著作権協会
(出)許諾第0207967-411号

広告論講義

2002年8月27日　第1刷発行
2014年2月14日　第11刷発行

著　者　天野祐吉《あまのゆうきち》

発行者　岡本　厚

発行所　株式会社 岩波書店
〒101-8002 東京都千代田区一ツ橋2-5-5
電話案内 03-5210-4000
http://www.iwanami.co.jp/

印刷・精興社　カバー・半七印刷　製本・松岳社

ISBN 4-00-022825-0　Printed in Japan